DÉMONS
QUOTIDIENS

LIVRES DE NANCY HUSTON
EN COLLABORATION AVEC DES ARTISTES

In Deo, avec des photographies de Jacqueline Salmon,
Éd. du Silence, Montréal, 1997.

Tu es mon amour depuis tant d'années, poèmes,
avec des dessins de Rachid Koraïchi, 2001.

Visages de l'Aube, avec des photographies de Valérie Winckler,
Actes Sud, 2001.

Le Chant du bocage, en collaboration avec Tzvetan Todorov,
photographies de Jean-Jacques Cournut, Actes Sud, 2005.

Les Braconniers d'histoires, avec des dessins de Chloé Poizat,
Thierry Magnier, 2007.

Lisières, avec des photographies de Mihai Mangiulea,
Biro Éditeur, 2008.

Embrasements, texte pour le CD d'Irakly Avaliani (Schumann)
publié par le groupe Balas, avec des peintures de Masha
Schmidt, 2010.

Poser nue, avec des sanguines de Guy Oberson,
Biro & Cohen Éditeurs, 2011.

L'Iconoclaste
27, rue Jacob
75006 Paris
Tél. : 01 42 17 47 80
Fax. : 01 43 31 77 97
iconoclaste@editions-iconoclaste.fr

Démons quotidiens se prolonge sur www.editions-iconoclaste.fr

Nancy HUSTON
Textes

Ralph PETTY
Dessins

DÉMONS QUOTIDIENS

L'Iconoclaste

Nous dédions ce livre à la mémoire de Gary et Goya…
parce qu'ils savaient voir dans le noir.

AVANT-PROPOS

> « *"Les cris désespérés sont les cris les plus beaux"*
> *figure depuis trop longtemps au programme.* »
>
> **Romain Gary**

J'ai vu des toiles de Ralph Petty pour la première fois vers 1998, projetées sur grand écran à Beaubourg lors d'une soirée organisée par la revue littéraire anglophone de Paris, *Frank*. Une toile en particulier m'a frappée : scène de manif, foule en colère et en mouvement, ambiance légèrement paniquante ou paniquée... En la commentant, Ralph a dit qu'il avait voulu inclure dans sa peinture cette idée incroyable : *chacun* des individus dans cette foule avait une vie familiale, des factures à payer, des souvenirs d'enfance...

Cette réflexion m'a plu. Grâce à cette toile de Petty, je me suis rendu compte soudain à quel point il est rare .que la peinture contemporaine, même figurative, représente plus d'une ou deux personnes à la fois, nous parle du groupe, alors qu'une si grande partie de notre vie – au travail, dans le métro, dans la rue, un peu partout – se passe dans des groupes. Comme je travaillais à cette époque à un roman qui portait justement sur un groupe d'amis (*Dolce Agonia*), j'ai pris contact avec le peintre pour lui demander s'il accepterait qu'une de ses toiles en orne la couverture.

Dès notre première rencontre, on s'est découvert bien des points en commun. On avait peu ou prou le même âge (étant millésimés *ca* 1950). Expatriés à Paris depuis de longues années, mariés chacun à un autre transfuge, on avait tous deux passé notre enfance près des montagnes Rocheuses – Ralph dans le Colorado et moi, à quelques deux mille kilomètres au nord, dans l'Alberta : ambiance plutôt fruste et peu artistique où les pasteurs s'égosillaient et où les cow-boys n'étaient jamais loin. Cantiques et *country* nous coulaient dans les veines.

En effet, j'ai appris qu'en plus de peindre et d'enseigner la peinture à l'Université américaine de Paris, Ralph chantait en anglais et en français, jouait du saxo et de l'harmonica, interprétant tantôt des chansons du répertoire, tantôt des œuvres de son cru. Il avait même créé, avec deux Français prénommés Jean-Pierre, un groupe le *Ralph Trio* et enregistré quelques CD... En plus le garçon était drôle! drôle et lapidaire et d'une modestie un peu excessive. On est devenus amis. Ralph a réveillé en moi une voix anglaise longtemps laissée en friche. Voix laconique, ironique, vaguement nasillarde.

Plusieurs années plus tard, il m'a montré une série de dessins qui m'ont fait une forte impression. Il s'agissait de lavis réalisés en dix ou quinze minutes chaque matin, juste après la lecture des journaux ou l'écoute des nouvelles à la radio. La seule consigne que se donnait Ralph pour ces œuvres, m'a-t-il dit : ne pas réfléchir, laisser aller sa main sans la censurer. Il les faisait pour rien, « pour lui-même » – et les appelait ses *Notes du souterrain*. Ne les avait jamais exposés. Ne comprenait pas lui-même, souvent, ce que ses mains avaient laissé sur le papier.

J'ai longuement regardé ces images. Elles étaient sombres. Étranges. Tantôt effrayantes, tantôt désopilantes. Souvent bouleversantes. Elles exploraient bel et bien notre « souterrain » – ce lieu nocturne tapi en chacun de nous où se juxtaposent et se superposent angoisses, fantasmes, souvenirs, mystères, rages et rêves. J'ai tout de suite vu une parenté entre les *Notes du souterrain* de Petty et les *Caprices* de Goya…

D'autres années ont passé. Et puis, un jour du printemps 2010, j'ai montré un choix des lavis de Ralph à l'éditrice Sophie de Sivry. C'est elle qui, aussitôt, a eu l'idée de ce livre à quatre mains : moi je ferais un texte par jour pour accompagner les images de mon ami. J'ai acquiescé, séduite par l'idée : Chiche ! ai-je dit à Sophie. Ce serait, sur l'espace d'une année, notre journal intime et politique.

L'expression « journal intime et politique » a été forgée par Leïla Sebbar pour une chronique du mensuel féministe *Histoires d'elles*, auquel nous collaborions l'une et l'autre à la fin des années 70. Chaque mois à tour de rôle, une des femmes de l'équipe tenait cette chronique qui se proposait d'explorer la manière dont s'imbriquent et s'entrecroisent en notre for intérieur les événements « du monde » et ceux de notre vie privée.

Il y a en fait deux manières d'être écartelé entre le politique et l'intime.

La première : être relativement heureux dans sa vie privée, alors qu'on est perpétuellement choqué, scandalisé, outré, indigné, horrifié, culpabilisé, écœuré, désespéré et acculé à l'impuissance par les nouvelles du monde.

La seconde : se sentir en permanence angoissé, tourmenté, frustré, enragé, en proie à ses démons intimes... alors qu'on exerce le métier qu'on a choisi, vit au sein d'un couple stable et d'une famille aimante, dans un milieu privilégié, dans un des pays les plus riches et les plus démocratiques du monde.

Depuis longtemps, l'exploration de cet écheveau est au cœur de mon travail de romancière. Mais dans un livre comme celui-ci, où il s'agit d'évoquer « la vie comme elle va » à la première personne : pas évident. En effet, comment parler de tout cela en restant la même personne, c'est-à-dire sans glisser d'un ton à un autre, sans singer Roland Barthes, sans monter sur quelque grand cheval que ce soit, sans « tenir un discours » politique ? En restant écrivain, en somme : ni caricaturiste, ni journaliste, ni pamphlétaire, ni donneuse de leçons... mais pas mièvre non plus ?

Renoncer aux attitudes extrêmes, toujours appauvrissantes, qui consistent à se laisser dévorer les méninges par l'humanité souffrante, à se calfeutrer dans le havre de paix de la maison, à devenir le héros de sa propre névrose, ou à nier celle-ci sous prétexte que nous faisons partie des « chanceux ». Refuser et de brader la beauté sous prétexte que la laideur existe ; et de se voiler les yeux devant la laideur. Voilà le défi multiple – et quotidien, donc – qu'a représenté pour Ralph et moi ce livre.

Au long de l'année 2010-11, nous avons procédé de la manière suivante : dans un premier temps, chacun travaillait de son côté, écoutant les nouvelles du monde tant extérieur qu'intérieur et envoyant à l'autre les résultats de ce travail une fois par semaine. Ensuite, j'écrivais des textes sur les dessins de Ralph que je trouvais « parlants » ; inversement, il faisait des dessins à partir de mes textes les plus « imagés ». Les coïncidences ont été nombreuses : il est souvent arrivé qu'une image et un texte réalisés séparément convergent et « s'entendent » à merveille.

L'actualité est présente ici, soulignons-le, à titre indicatif. Il ne s'agit pas de nos commentaires de ce qui s'est passé dans le monde cette année-là ;

plutôt de notre tentative pour explorer ce paradoxe que chacun gère comme il peut : nous sommes individus, mais ne pouvons vivre qu'avec les autres et grâce aux autres, dans un monde construit par les autres, pour le meilleur et pour le pire. Le meilleur peut être génial, le pire peut être l'enfer sur Terre. Impossible de les mettre dans la balance – pour la bonne raison qu'il n'y a pas de balance, pour la bonne raison que personne n'est là pour la tenir, cette balance.

C'est une banalité de dire que la beauté est impuissante face à la souffrance – mais ce n'est pas une raison pour laisser la souffrance phagocyter la beauté. Ainsi, au lieu d'entériner le vieil adage « Pas de nouvelles, bonnes nouvelles », j'ai décidé que les bonnes nouvelles méritaient parfois d'être dites elles aussi.

Le malheur existe – assurément, incontestablement, énormément – dedans et dehors. N'empêche ; le bonheur aussi. Dedans et dehors.

Nancy Huston

JUIN

2010

Elles nous attendront, les cent millions

La question que nous pose l'actualité (et j'aimerais bien savoir de quand date ce mot) est la suivante : qu'est-ce qui me concerne ? Si l'on continuait sérieusement de dire, avec Térence, « Tout ce qui est humain me concerne », il faudrait se suicider tout de suite. Romain Gary, qui se sentait « une conscience planétaire », a bien fini par se brûler la cervelle.

Le livre récent de Nicholas Kristof et Sheryl WuDunn *La Moitié du ciel* nous révèle que cent millions de femmes « manquent » dans le monde, notamment en raison des avortements et infanticides en Inde et en Chine. Là, je sens obscurément que ça me concerne. Mais les quarante mille Sri Lankais massacrés au printemps 2009 ? les trois millions de victimes de la guerre civile en République démocratique du Congo ?

L'humanité est épuisante.

Les témoins de tous les jours

Ne pas oublier : la possibilité d'être au courant de tous les malheurs du monde est incroyablement récente dans l'histoire de l'humanité. Traditionnellement, et encore aujourd'hui dans les régions arriérées de la planète, on ne se préoccupait que du sort de ses proches.

Depuis l'invention des mass media et surtout depuis celle d'Internet, nous avons l'embarras du choix. Des quatre coins du globe les mauvaises nouvelles affluent, nous rendant archiconscients de notre fragilité. Chacun choisit le médium qu'il préfère, écran ou journal, le moment du jour où il accepte de laisser entrer en lui la souffrance des autres, et la dose qu'il croit pouvoir supporter de cette souffrance.

Pour certains, c'est une drogue.

La retraite à vingt ans

Je me souviens de la gravité avec laquelle, quand ma fille est entrée en CP en 1985, le directeur de son école nous a dit : « La préparation du bac commence maintenant. » J'avais envie de renchérir : « Et la retraite de ces pauvres petits ? On y pense ? »

Tout le monde fait semblant de ne pas voir ce qui se passe pour les neuf-dixièmes des citoyens de notre pays : après une éducation stressante, sous pression constante, dans la rivalité, la tension et l'angoisse de la préparation des examens, ce à quoi on peut s'attendre c'est, au pire, le chômage, et au mieux, trente-sept, trente-huit ou trente-neuf ans d'un emploi sans intérêt, sans la moindre possibilité d'épanouissement.

« Travailler plus pour gagner plus » : le plus horrible projet de vie qui ait jamais été proposé à un peuple par son chef.

Ils sont à qui, les pantins ?

Coupe du monde : bruit et fureur de la grégarité déchaînée, on suit le score, le flux et le reflux. Ça vous soude un pays d'avoir un groupe de mâles auquel on peut s'identifier, dont on peut suivre les péripéties, les victoires et les défaites. Nelson Mandela le savait, qui a tenu à réunir Blancs et Noirs de l'Afrique du Sud derrière l'équipe de rugby principalement blanche, les Springboks.

En fait, malgré leurs ressemblances évidentes, la guerre n'est pas comme le foot. Une documentariste américaine Penny Allen a interviewé un vétéran d'Irak ; son petit film *The Soldier's Tale* (*L'Histoire d'un soldat*) est une analyse de la guerre aussi concise qu'implacable. L'essentiel est que les différents niveaux restent étanches. Tout en haut : motivations économiques ou territoriales, décisions des chefs d'État, ordres transmis aux chefs militaires. En bas : les garçons s'engagent pour des raisons personnelles ; ils sont pauvres ou désœuvrés, mal aimés ou désireux de « se prouver », s'éprouver. Sur le terrain :

27

le groupe se soude dans la peur, et il suffit que le cerveau d'un « copain » gicle sous vos yeux pour vous donner envie de massacrer « l'ennemi ». Ensuite : songez combien il est difficile de revenir à la vie civile, longer les allées des supermarchés, éplucher des carottes à la demande de votre épouse, jouer aux petites voitures avec votre fiston...

Les soldats sont des pantins ; tous, nous sommes des pantins.

Gloire et gore

Je me trouve dans la capitale canadienne, car l'université d'Ottawa vient de me décerner un doctorat *honoris causa*. Discours, chants patriotiques, défilés, costumes, robes en satin rouge, ou bleu, etc., hermine, diplômes roulés, enseignes, applaudissements, félicitations...

Le lendemain matin je visite le Musée de la guerre avec ma sœur cadette qui vit ici, et me rends soudain compte d'une ressemblance étrange entre le roman et l'expédition militaire. Ça commence par des idées exaltées, un idéal merveilleux, ça passe par l'innommable, la saleté et la souffrance, et se termine par des médailles et des honneurs.

Que de malentendus, là-dedans !

L'homme et la mère

Inauguration, rue Dantzig dans le XVᵉ arrondissement, de la place Romain Gary.

Gary, nous explique le maire de l'arrondissement, était un Français un Français un grand et héroïque et magnifique Français. Gary, nous explique
sa biographe officielle, était un juif un juif un grand
et héroïque et magnifique juif. Gary, se hasarde le
maire de Paris, était un grand écrivain... Ils ont
tous raison.

Pour ma part, avec ma déformation profession-
nelle à moi, j'aurais dit : Gary était une marionnette
manipulée d'un bout à l'autre de sa vie par sa mère
Nina. Même morte, elle a continué à lui envoyer ses
ordres et injonctions. Tu seras un grand écrivain ET
un grand séducteur, mon fils ! Ce n'est qu'en étant
à la fois Casanova et Gabriele d'Annunzio que tu
pourras racheter mes souffrances !

Il est fréquent que les hommes règlent leurs
comptes avec leur mère en devenant tombeurs
(Tu m'as tellement contrôlé, regarde à présent comme

je contrôle les femmes !). Mais une mère qui prétend vous dicter, non seulement vos paroles et vos pensées mais vos élans les plus intimes, ça doit vraiment poser un problème. Pas étonnant que Roman Kacew ait eu besoin de se cacher du regard maternel derrière trente-six pseudonymes.

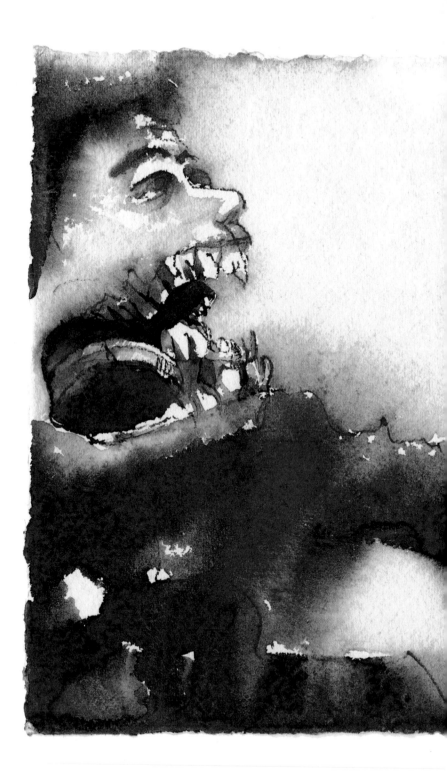

Le passé caché

21 juin, fête de la musique, temps glagla et gris, sinistre. Redoutant, si nous flânons dans les rues de Paris, d'éprouver une nostalgie lancinante pour la fête de la musique de l'an dernier, et pour tant d'autres, je m'engouffre dans un vidéoclub et loue *Mystic River*.

Comment a-t-on fait pour passer à côté de ce chef-d'œuvre ? L'enfant violé, devenu adulte (joué par l'extraordinaire Tim Robbins), est obsédé par des films de vampires et de loups-garous. « Une fois que cette chose entre en vous, dit-il à son épouse, elle est là pour toujours. »

Les flics américains, dans ce film, sont plus fins psychologues que la plupart des intellos français. Ceux-ci, chaque fois qu'on tente d'expliquer la violence d'un adulte par un traumatisme vécu dans l'enfance, affichent une moue de dégoût et traitent cela de « psychologisme ». Ils préfèrent l'idée du Mal.

Inexplicable, sidérant, le Mal est l'équivalent rigoureux, dans nos sociétés laïques, du « péché originel » d'antan.

Comme si la famille n'était pas déjà assez sombre, compliquée, terrifiante et inextricable ! Que de violences, que de secrets, que de souffrances transmises d'une génération à l'autre, souvent à notre insu.

Une seule certitude : la chaîne a peu de chances de s'interrompre.

La mort d'un général

Le général Bigeard est mort. De façon quasi-unanime, la France fête la mémoire de ce militaire exemplaire. Les journaux retracent méticuleusement son glorieux parcours de combattant. D'abord la Seconde Guerre mondiale; dès juin 1945, l'Indochine; et tout de suite après la défaite de Diên Biên Phu en 1954, l'Algérie. Partout où la France se trouvait en difficulté, il se précipitait. Aimait prendre des risques, se bagarrer, se mettre en danger. Étoffe de héros.

À ceux qui se souviennent qu'il a fait torturer des fellaghas, on ressort le poncif du *mal nécessaire.* Et les « crevettes de Bigeard », ces ennemis de la patrie dont on plongeait les pieds dans du ciment avant de les faire monter en hélicoptère et de les balancer dans la mer? Voyons! Il s'agissait de sauver la France!

Lui, comprenait l'identité française, n'est-ce pas. Et à quel point elle est indissociable de la charité chrétienne.

Les ailes ne volent plus

Ce soir mon beau-fils et sa compagne enceinte venaient dîner. Voulant leur faire plaisir, j'ai dégoté une recette pour le canard aux figues. J'ai fait les courses, me suis mis un tablier, ai commencé à préparer, à verser, à macérer, à couper, à mesurer vin, cognac, citron, sel... J'ai remué le jus de cuisson, gardé la bête bien au chaud, pour la napper ensuite de la belle sauce sombre et onctueuse... Et quand on a apporté à nos lèvres la première bouchée – dégueulasse. Ils ont mangé poliment, ils ont même murmuré des compliments mais c'était franchement infect. Un canard mazouté, quoi. On aurait cru que l'on bouffait une des victimes de la marée noire en Louisiane.

« May I come in, please ? »

Entendu à la radio ce matin : un étudiant britannique qui faisait une thèse sur Jack l'Éventreur avait lui-même assassiné plusieurs prostituées...

Quand une femme « de la rue » est retrouvée morte, personne ne s'en étonne. Encore aujourd'hui, et pas seulement dans les pays où se pratiquent les crimes « d'honneur », la mort est l'horizon de toute prise de risque féminine en matière de sexualité. Une jeune fille qui s'aventure seule la nuit dans les rues d'une grande ville se sent toute tremblante d'excitation, justement parce qu'elle prend des risques et elle le sait.

« À seize ans, dit l'héroïne de *Voleur*, roman de Maureen Gibbon sur le thème du viol, j'avais tellement envie de faire partie du monde adulte que je me suis mise à tambouriner sur la porte. Et, faut-il s'en étonner, on m'a ouvert. »

Personne n'a envie d'être tué, bien sûr, mais, comparée à l'assommante vie-de-tous-les-jours avec papa-maman, la *possibilité* de ces dangers peut être perçue comme palpitante.

Il a eu combien de poules ?

L'héroïne de mon nouveau roman, *Infrarouge*, a eu quatre maris, deux fils et énormément d'amants. Il est clair que j'ai intériorisé l'opprobre social qui frappe les femmes aux partenaires multiples, car en écrivant ce livre j'ai dû me défendre jour après jour contre les vagues de honte qui menaçaient de me submerger…

Casanova, Simenon, Sollers peuvent se vanter tranquillement d'avoir « eu » des dizaines, des centaines voire des milliers de femmes ; la femme collectionneuse, elle, est vite assimilée à la Pute.

Trouver un nouveau vocabulaire pour parler de tout cela est chose ardue.

Chacun son barbare

À la Une de *L'Équipe* en lettres géantes, cette phrase lancée pendant un match du Mondial par un joueur français à son entraîneur : « VA TE FAIRE ENCULER, SALE FILS DE PUTE ! »

Les commentaires fusent, mais personne ne juge utile de relever le mépris flagrant des femmes et des homosexuels dans cette insulte. Trop lassant, d'avoir à rappeler que le con employé comme injure par notre président est un organe sexuel qui a son importance ; que les putes méritent le respect au moins autant que leurs clients, ceux-ci seraient-ils de grands footballeurs ; que la sodomie est une étreinte érotique aussi valable qu'une autre, etc.

Oh ce beau moment de 2005 où, les Espagnols ayant traité le président Aznar de *hijo de puta* (suite à sa tentative d'attribuer aux terroristes basques les attentats de la gare d'Atocha), les prostituées du pays avaient défilé avec des pancartes proclamant : « AZNAR N'EST PAS NOTRE FILS ! »

JUILLET

2010

Our holy fathers

D'après le nouveau livre de Marcela Iacub, la liberté d'expression est le fondement même de la démocratie ; en tant que telle, elle est sacro-sainte et ne doit souffrir aucune exception. Même la pédopornographie doit pouvoir circuler librement.

Enculer un bébé est interdit, certes, mais il suffit de vous faire filmer en train de réaliser cet exploit et, par une transsubstantiation aussi miraculeuse que celle de l'Eucharistie, voilà le crime transmué en œuvre d'art protégée par la loi.

Interdits les petits caïds

Pour le nucléaire en Iran, le doute est permis : veulent-ils s'en servir à des fins militaires ou domestiques ? Pour les Mirages en France, pas de doute possible : c'est pour tuer d'autres êtres humains. On ne construit pas des Mirages pour d'autres usages que celui-là.

Il est interdit aux petits caïds de banlieue d'acheter et de vendre des instruments de meurtre. Pour avoir le droit de faire cela, il faut être un *grand* caïd, comme notre président.

Stealing them blind

On est drôles. On n'arrête pas de tomber des nues. Comment? Il y aurait un rapport entre les grandes fortunes de France et le pouvoir politique? Ce n'est pas possible! Vous n'allez pas me dire que, pendant qu'Éric Woerth était ministre du Budget, son épouse initiait la richissime PDG de L'Oréal aux différentes manières de frauder le fisc? Non, je ne vous crois pas!

Société générale? Clearstream? Dumas et Total? Crédit lyonnais? Et maintenant: L'Oréal?

Le fric et le pouvoir? Des nues on tombe, encore et encore. Et à chaque fois, telle Vénus, on se refait une virginité, pour pouvoir reperdre ses illusions la fois suivante avec la même candeur.

Les tricheries avec l'argent c'est comme les armements: si on ne veut pas être puni, mieux vaut les faire en grand! La famille pauvre qui n'arrive pas à payer sa facture d'électricité se retrouvera dans le noir; en revanche, là où des milliards sont en jeu, la faute devient soudain terriblement difficile à prouver...

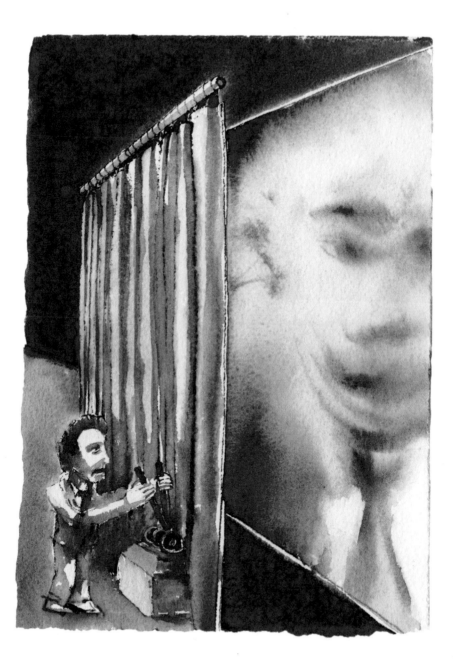

« *Com* »

Il faut regarder les choses en face, nous dit notre président : la France est fauchée, les caisses sont vides.

Or j'ai besoin d'augmenter le budget de mon chargé de com à l'Elysée. Je ne mets actuellement à sa disposition – pour expliquer, promouvoir et faire l'éloge de ma politique auprès de la population – que 145 millions d'euros annuels (hors salaire). Ce montant est de toute évidence insuffisant, car ma cote de popularité s'effondre de mois en mois.

Il faut donc couper les subventions de plusieurs dizaines de théâtres, piétiner de délicats réseaux culturels soigneusement élaborés au long de plusieurs décennies, éliminer les instituteurs spécialisés pour aider les enfants en difficulté dans les zones rurales, supprimer des milliers de postes dans l'éducation nationale et mettre fin à la police de proximité dans les banlieues sensibles.

Lorsqu'on comprend la nécessité des sacrifices, l'on y consent sans rechigner.

Assis sur ses convictions

Abdoulaye Wade, président du Sénégal âgé de 83 ans, vient de dépenser 23 millions d'euros pour ériger, au sommet d'une des collines qui dominent Dakar, une statue monumentale (plus grande que celle de la Liberté) dans la plus pure tradition socialokitsch. De plus, il s'est arrangé pour toucher trente pour-cent des droits d'auteur sur cette « œuvre » car c'est lui qui en a eu l'idée !

Le sculpteur Ousmane Sow, initialement pressenti pour réaliser la statue, s'est brouillé avec Wade. Incapable de veulerie, il a à cœur d'honorer les vrais grands de ce monde, qui jamais ne tonitruent ni ne pavanent : Hugo, la Mère Teresa, Mandela, Gandhi, son propre père... Et cette série bouleversante s'intitule... *Merci*.

Dieu zappe le prêtre

Dans une petite église du centre de la France, j'assiste aux obsèques d'une amie. J'essaie de ne pas trop écouter les platitudes et inanités qu'ânonne à son sujet le curé mais, vers la fin de la cérémonie, j'entends une phrase qui me fait sursauter : « S'il y a des choses que vous voulez dire à Dieu mais que vous n'avez pas eu le temps de Lui dire, vous pouvez demander à notre amie de faire la commission. »

Ainsi, en même temps que la communication entre humains se faisait de plus en plus rapide grâce aux nouvelles technologies, le contact entre Dieu et ses créatures se serait ralenti ? Nous aurions besoin de postiers, désormais, pour porter nos messages au Paradis ?

Le mois dernier, l'archevêque du Canada (homme vierge d'un pays riche, représentant du Pape, autre homme vierge d'un autre pays riche), s'est empressé d'approuver le décret du Premier ministre Stephen Harper stipulant que les fonds médicaux envoyés aux pays en voie de développement ne peuvent être utilisés pour pratiquer des IVG. Oui, même une fille violée par son père à l'âge de treize ans et enceinte de triplets trisomiques doit mettre au monde ces âmes aimées de Dieu.

Franchement, à entendre les énormités que l'on profère en Son nom, même le Très-Haut doit parfois se mettre en colère.

Crème de la crème

La fortune personnelle de Mme Liliane Betencourt, PDG d'une entreprise qui fabrique des produits de beauté, est estimée à quatorze milliards d'euros. Ça fait beaucoup de pots de crème. On s'étonne de voir encore, autour de soi, tant de femmes moches.

Les plus belles femmes que j'ai vues de ma vie, ce sont les Birmanes. Le matin, elles s'étalent sur la figure une étrange pâte blanche faite de fibres végétales. L'Oréal n'a pas encore beaucoup de points de vente au Myanmar, mais cela ne saurait tarder. En destituant la junte au pouvoir et en imposant « le marché libre » dans ce pays arriéré, nous finirons bien par convaincre les femmes birmanes de remplacer leur pâte gratuite par une crème invisible à vingt euros les trente grammes. Elles deviendront aussi moches et stressées que nous.

L'angoisse fait des rides. Et, vu que les crèmes anti-rides ne marchent pas, nous leur vendrons aussi du Prozac, du Coca-Cola, des Marlboro, des iPad... tout ce qui fait la beauté de notre mode de vie.

Enfin, les jeunes femmes birmanes accéderont au droit de devenir starlettes de porno... Sinon, à quoi le monde verrait-il que leur pays a vraiment été libéré ?

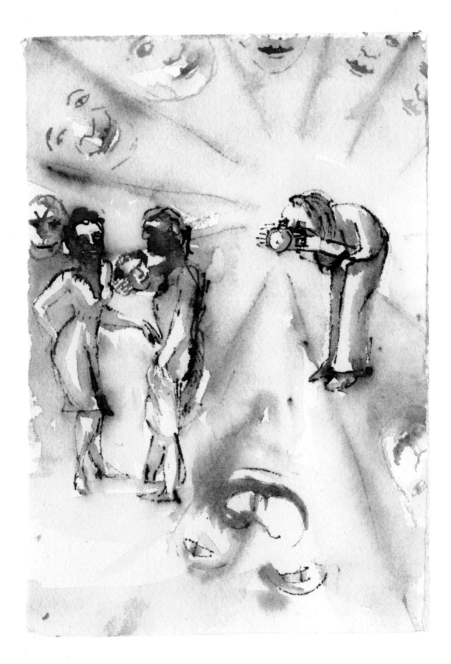

Whose image is it?

On ne s'étonne pas assez des transformations imprimées à notre vie sensuelle, désirante, érotique par la photographie. Combien de milliards d'images de femmes nues circulent de par le monde, alors que, voici cent cinquante ans à peine, cela n'existait pas...?

Dans les années 80, j'ai un peu connu la photographe Irina Ionesco; sa fille Eva vient de faire un film pour dénoncer la manière dont les photos de sa mère l'ont prostituée dès l'âge de trois ans. Lee Miller et Anaïs Nin ont elles aussi été photographiées nues, petites filles, par leur père.

À qui appartiennent ces images? À la personne qui appuie sur le déclencheur ou à celle qui est photographiée? On m'a parlé l'autre jour d'une réponse possible, que j'ai trouvé assez élégante: telle artiste féministe a exposé les photos de nu que son père avait faites d'elle en les signant et en les revendiquant comme son œuvre à elle.

Son père n'a pipé mot...

Visiteur de la nuit

Campagne berrichonne. Cadre bucolique. On pourrait presque croire le monde en paix.

Chaque fois qu'un avion militaire vole à basse altitude au-dessus de notre hameau, déchirant dans un long vrombissement assourdissant le silence nocturne, les bêtes se figent de peur et les bébés se mettent à pleurer. Allez, leur disent les agriculteurs et les parents, allez, leur disons-nous tous, adultes habitués aux manières du monde, *do, do, l'enfant do,* il n'y a rien à craindre, calmez-vous, *doux, doux,* ce n'est pas pour nous, ça ne va pas nous tuer, nous... c'est pour les autres !

C'est la tendre guerre

— Tu sais chéri ?

— Qu'est-ce qu'il y a ?

— Je t'aime.

— Bon ben moi aussi mais c'est pas le moment, j'essaie de nettoyer la fosse septique.

— C'est moi la fausse sceptique.

— Très drôle.

— Non mais c'est vrai ! Quand j'étais jeune, j'essayais de toutes mes forces de ressembler aux nihilistes. J'adhérais à cent pourcent à leur conception du lien conjugal.

— À savoir ?

— « Un lien, c'est une chose qui ligote », dixit Kundera, par exemple.

— Et maintenant ?

— Eh ben maintenant... je te suis très attachée, c'est tout !

Bébé doit bouffer

Visite d'amis américains, un couple dans la quarantaine, avec leur fillette de quatre ans. La maman, ayant sans doute souffert de la sévérité excessive de sa propre mère, ne sait pas dire non à sa fille. À plusieurs reprises au cours de l'après-midi, celle-ci se trouve en danger de mort : elle avance tout près du bord de l'étang... joue avec des fils électriques...

À l'heure de l'apéro, on assiste à ce spectacle douloureux : elle prend une énorme poignée de cacahuètes et les enfourne dans sa bouche, les avale avec difficulté, presque non mastiquées, prend une autre poignée, l'enfourne... Le visage cramoisi, elle regarde sa mère et semble la supplier de lui dire d'arrêter son cirque... Mais non, la mère continue de papoter, comme si de rien n'était.

Ouh là là, me dis-je. Elle va en recevoir, des baffes, la fille de cette fille-là !

Ont-ils une âme ?

En regardant *Evolution*, documentaire de huit heures réalisé en 2000 pour la télévision américaine, je prends conscience pour la première fois de ce qu'a représenté la découverte de Darwin. Si récent, quand on y pense, ce vertige ! Tant de millénaires de foi en un projet divin, et soudain, voici cent cinquante ans à peine : non seulement il n'y a pas de Dieu, nous ayant créés et nous préférant, nous les humains, à toutes ses autres créatures, mais il n'y a aucun plan d'aucune sorte. Rien que des adaptations aveugles de ce qui s'avérera être l'ADN, base génétique commune à tout ce qui vit sur la Terre.

Personne n'est là pour juger nos actions, nous dire si nous avançons ou non dans le bon sens. On a le droit de faire n'importe quoi avec notre corps et notre esprit, et on le fait.

N'importe quoi.

AOÛT

2010

Les fourmis devant l'inconnu

Les nuits sans nuage à la campagne, nous sommes abasourdis par le ciel étoilé. Dire l'insignifiance des humains, de leur planète et de leurs problèmes, à l'échelle de l'univers, c'est une banalité mais il est des banalités inépuisables. Devant ces espaces, notre imagination défaille : c'est, au sens propre, la *sidération*.

Dans *L'Âme de la nuit*, l'astronome poète américain Chet Raymo écrit : « J'ai vu une fois la nébuleuse du Crabe à travers un téléscope puissant. Ce sont les débris en expansion d'une étoile explosée, une couronne de matière-à-étoile large de huit années lumière et distante de cinq mille années-lumière. » Ou encore : « Dans la nébuleuse de la Tête de Cheval, cette mince volute de fumée près de la ceinture d'Orion, il y a la place pour vingt mille de nos systèmes solaires. » Les bras vous en tombent.

Mais il y a plus étonnant encore que l'immensité de l'univers, c'est la capacité de notre cerveau de la concevoir. Je suis certes une géante pour la fourmi qui escalade ma jambe pendant que j'ai le nez en l'air, mais ma taille lui indiffère ; son cerveau n'est pas fichu de s'en émerveiller. Le miracle n'est donc pas que l'univers soit grand, mais que l'espèce humaine, après des millénaires passés à rouler les mécaniques et à se croire le centre de la création, ait fini par reconnaître sa propre petitesse.

Proposition : rendre obligatoire, au moins deux fois par mois, la contemplation du ciel étoilé par les leaders de ce monde, dont la plupart raisonnent toujours en fourmis.

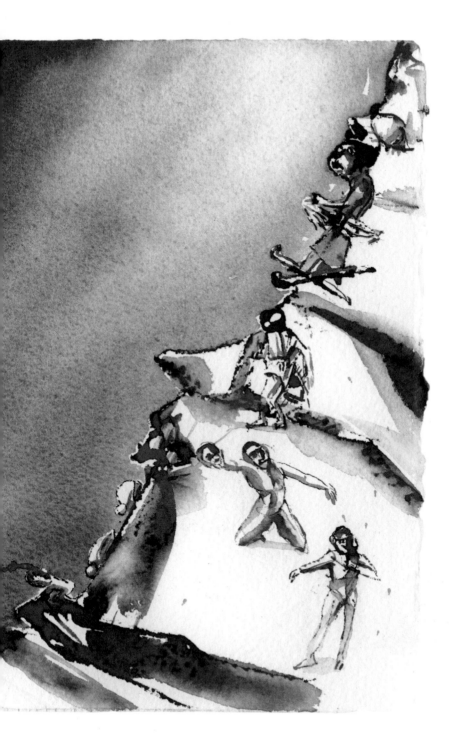

Bon voyage, mon cher

Plusieurs de nos amis ici, indépendamment les uns des autres, prévoient de prendre leur retraite dès que possible, de vendre tout – maison, bétail, terrain – et de partir faire le tour du monde en bateau.

De cette façon, après trente-sept années passées à jouer un rôle qui ne leur convenait pas, ils découvriront peut-être, *in extremis*, qui ils sont « vraiment ».

Quel éléphant dans la pièce ?

Bergamotte, le beau jeune chat que notre fille nous a laissé en pension dans le Berry, est un chat de ville. Il a bien l'instinct de sauter sur les petites choses qui bougent – grenouilles, papillons, herbes, insectes, souris – mais non de les tuer.

Scène étonnante, ce matin : sous le banc de la cuisine, au lieu d'une minuscule souris grise détalant à toute vitesse, Bergamotte s'est trouvé face à un gros lérot flemmard. Celui-ci le narguait en restant immobile. Le chat s'est figé, perplexe. Que fait-on dans ces cas-là ? Non seulement le lérot n'essayait pas de se sauver, mais il avançait sur lui. Le chat a reculé, effrayé et désorienté.

T. a eu honte pour lui. Se comportant comme un mâle de l'espèce humaine, il a fini par massacrer le lérot avec une énorme pelle en bois. Me comportant, pour ma part, comme une femelle de l'espèce humaine, j'ai poussé un cri aigu et me suis enfuie.

Remède

Nous sommes là pour nous guérir les uns les autres. Non, pardon, les bien portants sont là pour guérir les malades. Pas l'inverse. Pas drôle, donc, quand les malades administrent aux bien portants un neuroleptique. Quelques cachets glissés dans une cafetière, l'autre jour dans un grand hôpital parisien, et voilà KO tous les médecins et infirmières qui assistaient à la réunion matinale. C'est dire la puissance de ce mélange chimique : « un remède qui assommerait un cheval ! » apprend-on à la radio.

Pour le cas où l'on se serait demandé pourquoi, dans les hôpitaux psychiatriques modernes, tout est si calme...

Il me visa, je suis visée...

Lors de son «discours de Grenoble» pour l'intronisation d'un nouveau préfet dans cette ville, Nicolas Sarkozy a annoncé sa nouvelle idée, bientôt projet de loi : les étrangers naturalisés qui commettraient certains types de crimes pourraient être déchus de la nationalité française.

Idée originale, que l'on pourrait étendre à d'autres situations. Tous les changements de statut, promotions, etc., qui se décident lors de cérémonies solennelles et ont été ratifiés par des papiers, certificats, sceaux, tampons et discours officiels, seraient en fait réversibles. Ainsi, les gens mariés qui fricoteraient en dehors du lit conjugal redeviendraient-ils célibataires, les diplômés d'université qui diraient des conneries se verraient-ils révoquer leurs diplômes, et, bien sûr, un président élu qui trahirait les valeurs fondamentales de la Constitution se retrouverait-il simple citoyen.

Ceux qui donnent des coups de pied finissent par en recevoir.

Sous *la burqa le bikini*

Emboîtant le pas à l'immense campagne internationale en faveur de Sakineh Mohammadi-Ashtiani, cette Iranienne qui risque la mort sous prétexte qu'elle aurait pris un amant après la mort de son époux, Lula le président brésilien fait savoir que, même s'il « respecte les lois iraniennes » (y compris donc celle qui prévoit la lapidation des femmes dans des cas comme celui-ci), il est prêt à accueillir Sakineh au Brésil.

Voilà qui pourrait déclencher un exode ! Imaginez : des milliers de femmes qui se mettraient à tromper leur mari rien que pour pouvoir aller se la couler douce sur les plages de Copacabana !

Ah, mais les Brésiliennes ont elles aussi leurs soucis ! Je viens de voir *Désert heureux* de Paulo Caldas, l'histoire d'une fillette de quatorze ans qui, n'en pouvant plus d'être violée par son père, quitte son village misérable dans le Nordeste et échoue... dans les bordels de Berlin.

Passage du temps

Suis allée chez M.-M. l'autre jour, comme je le fais depuis de longues années : elle joue du violon, moi du piano. Jadis nous faisions partie d'un ensemble qui donnait un concert chaque été. Mais en 2001, sur-stressée par un public venu plus nombreux que prévu, M.-M. a manqué son entrée dans une fugue. Percluse de honte, elle a eu une crise cardiaque en rentrant chez elle et a dû être héliportée jusqu'à l'hôpital de Tours ; on a réussi de justesse à la sauver.

D'un commun accord, la dizaine de musiciens du groupe (dont, à 47 ans, j'étais une des plus jeunes) ont décidé de ne plus jouer que pour le plaisir. Puis d'une année à l'autre, notre nombre s'est amenuisé : Un Tel est décédé, Une Telle est partie en maison de retraite, telle autre a trop mal au cou, au bras, au dos, pour travailler correctement son instrument...

Bref, j'arrive chez M.-M., 82 printemps cette année.

– Comment vas-tu, chère amie ?

– Oh, Nancy, c'est terrible, la vieillesse.

– Tu as encore eu des soucis de santé ?

– Je ne parle pas de moi, je parle de mon mari. Jusqu'à quatre-vingt-quinze ans tout allait bien, mais là, à cent deux ans, c'est dur. Il me réveille cinq fois par nuit. Ensuite il dort toute la journée, alors que moi je suis à ramasser à la petite cuiller.

– Ça ne va pas le déranger, notre duo de Beethoven ? Surtout le dernier mouvement, c'est assez Sturm und Drang.

– Oh, j'ai quand même le droit de m'amuser une heure de temps en temps ! Alors j'ai pris les devants, j'ai enlevé ses prothèses auditives !

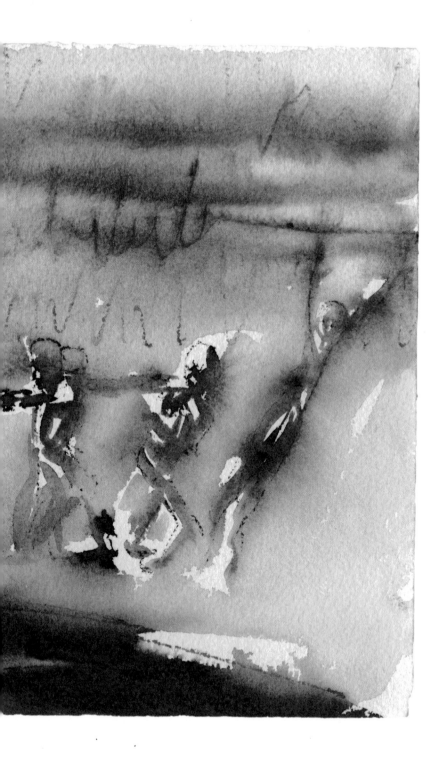

Zoo

Dans l'Allier hier soir : projection de *Nénette,* le nouveau film de Nicolas Philibert, organisée par la sympathique association « Par-dessus la bouchure ». La star est une orang-outang âgée de quarante ans, originaire de Bornéo, qui a passé presque toute sa vie à la ménagerie du Jardin des plantes. Elle a eu trois « maris » et quatre enfants. Pour qu'elle ne se sente pas seule, on a laissé un de ses fils dans la cage avec elle. Mais, précisent ses soigneurs, on n'a aucun moyen de savoir si elle est ménopausée, et comme une nouvelle grossesse à son âge serait risquée, on lui glisse une pilule contraceptive dans son pot de yaourt tous les jours.

En réalité, le film de Philibert n'est pas sur la bête mais sur les humains ; il montre Nénette en train de contempler, apparemment en proie à un ennui monstrueux, tous les visiteurs qui passent devant sa cage et parlent d'elle. Enfants surexcités, poètes, élèves peintres, connaisseurs, soigneurs, chacun y va de son commentaire sur cet animal qui nous ressemble de façon dérangeante.

La période questions-réponses qui suit la projection ressemble drôlement au film lui-même, avec Philibert à la place de Nénette et les gens dans la salle à la place des visiteurs du zoo, chacun réagissant selon son «point de vue». Un homme interpelle agressivement le cinéaste: «Et vous avez eu une réponse à la question de l'inceste?! Ils copulent, la mère et le fils, oui ou non? Non, vous n'avez même pas cherché à le savoir? Censure, une fois de plus! Alors que c'était le seul truc intéressant dans le film!»

(Plus tard, nous apprendrons naturellement que cet homme est psychanalyste.)

Tragédie algérienne

Dîner chez des voisins dans le village d'à côté. Jacqueline, belle rousse aujourd'hui dans la soixantaine, raconte l'histoire suivante. Elle a grandi, pied-noir, dans un village des hauts plateaux algériens. Un jour, la maîtresse leur donne un cours sur l'anatomie, et la petite Aïcha Houella se trompe dans la prononciation du mot *intestins*. « Instintins », répète-t-elle, à plusieurs reprises. Prenant sur elle, la maîtresse décompose le mot :

— In...

— In...

— tes...

— tes...

— tins...

— tins...

— Intestins.

— Instintins.

— *Non mais tu fais exprès !*

Excédée, la maîtresse écrit en lettres majuscules au tableau noir : « AÏCHA HOUELLA EST UNE

PARESSEUSE », puis ordonne à la fillette de lire la phrase tout haut. La petite est mortifiée. « Je vais porter mon père », sanglote-t-elle. « Ah bon ! tu vas porter ton père ! lance la maîtresse, sarcastique. Eh bien je vais te donner une valise pour que tu puisses le porter, tiens ! »

À midi, la petite raconte tout à son papa. Celui-ci vient à l'école et s'enferme un quart d'heure avec la maîtresse. Ensuite, dans la cour de récré, tout le monde peut le voir en train de frapper sa fille à la tête en lui criant dessus : « Il faut écouter ta maîtresse ! »

Tant de choses en jeu dans cette tragédie minuscule.

Les bons, c'est nous !

Ça me travaille, cette histoire de déchéance de la nationalité.

Au fond, pourquoi limiter la mesure aux meurtriers de policiers, aux polygames, aux exciseurs et à ceux qui s'adonnent à la traite des Blanches ? Il faudrait l'étendre à *tous* les criminels, y compris aux Français de souche. Et, à bien y réfléchir, pas seulement aux criminels, mais aux gitans, aux gauchos, aux drogués, aux sans-abri, aux racailles ; bref, à tous ceux dont on estime qu'ils ne sont « pas dignes d'être français », pour reprendre la formule lâchée l'autre jour par notre ministre de l'Intérieur.

Inversement, on devrait naturaliser d'office tous ceux qui agissent de façon admirable. Le principe existe déjà : récemment, l'Américain Jonathan Littell a été ainsi récompensé pour avoir écrit (en français) un roman s'étant vendu à plus d'un million d'exemplaires. De même, tous les grands footballeurs, grands écrivains, grands acteurs, ainsi que les plus riches banquiers et PDG, quel que soit leur pays d'origine, se verraient conférer la nationalité française (quitte à la perdre, plus tard, s'ils commettaient des fautes).

Les choses seraient enfin claires : tous les bons seraient français et tous les méchants, étrangers ! Comment n'y a-t-on songé plus tôt ?

L'hygiène

Une voisine me confie qu'en cette période de canicule, elle change de gant de toilette tous les jours. Elle les utilise une fois, ses gants, dit-elle, puis elle les jette à la machine à laver. J'ai vraiment du mal à croire que j'entends correctement ce qu'elle me dit.

Ce qui me laisse pantoise, ce n'est pas qu'elle change si souvent de gant de toilette, mais qu'elle éprouve le besoin de me le dire.

SEPTEMBRE

2010

Parano

Parfois la fatigue me rend sérieusement paranoïaque. J'aime à me dire que je fais semblant, ou que c'est normal, mais non, c'est inquiétant. Quand une université où j'ai donné une conférence ne me paie pas à temps, par exemple, je deviens hystérique, traumatisant des gens avec qui je m'étais entendu à merveille.

Pire : ayant reçu une lettre des Archives nationales d'Ottawa, m'informant officiellement de leur désir d'acquérir mes archives, j'ai laissé passer un ou deux jours puis j'en ai parlé à T. « Ils proposent de me les acheter six dollars le kilo. » T. a exprimé sa surprise : « Ah bon ? ça se vend donc au poids ? » J'ai trouvé une explication plus ou moins convaincante de la chose et consacré ensuite plusieurs minutes à m'indigner : « Mais enfin, c'est dérisoire ! Six dollars c'est le prix du papier, ils se moquent du monde ! »

Avant de répondre à la lettre d'Ottawa sur ce ton colérique, je l'ai relue. Bien m'en a pris… N'y figurait pas la moindre petite évocation d'un paiement.

Ange tombant

Je voudrais que tous les anges déchoient.

Nietzsche disait, en substance : « Chaque saint a un passé, chaque pécheur, un avenir. » C'est encore préserver le vieux vocabulaire fatigué des saints et des pécheurs.

Ma tante missionnaire, avant de se lancer dans un sermon à l'intention des membres de la famille, précisait toujours en préambule : « Je suis un pécheur parmi les pécheurs », pour qu'on ne pense surtout pas qu'elle se donnait des airs... alors qu'en fait, elle se donnait des airs.

Le péché, la sainteté : notions détestables, nuisibles, ayant fait des victimes innombrables.

Pureté : concept aussi nocif à l'endroit des femmes qu'à l'endroit des races. Un jour, je fonderai une Association Pour l'Impureté Féminine (APIF).

Qu'ils tombent, les anges ! Qu'ils viennent vivre parmi nous !

Elles le font toutes !

Avec des amis jazzmen, je prépare un spectacle sur le masculin : *Le Mâle entendu*. Nos dîners de travail se passent de la manière suivante : je leur fais à manger, ils apportent d'excellentes bouteilles, je démarre le mp3 en début de soirée. À mesure que le vin disparaît, les langues se délient. J'apprécie et j'apprends. Bientôt je commencerai à faire un montage de citations, sans indiquer qui a dit quoi ; sur scène ce sera moi l'homme, je dirai tout. Par exemple...

« Il y a un truc que j'ai vu souvent, où la femme te met dans un rôle complètement ridicule. On est sur le canapé, on s'embrasse, et à un moment donné elle « joue son rôle de femme » : elle se met sur toi, elle te chevauche, avec les jambes comme ça, et ça t'écrase. Une femme qui se met sur moi quand on fait l'amour, bien sûr ! Mais dans cette situation-là, où elle est tout habillée, elle m'écrase et il ne se passe rien, c'est juste désagréable, quoi. Si elle est un peu lourde, elle m'écrase *vraiment*. Et si j'avais été excité juste avant, quand on s'embrassait et qu'il y avait un truc fluide, où je ne me posais pas de question... là elle se met sur moi et ça ne m'excite plus, parce que c'est un peu surjoué, plus du tout naturel. Elles le font toutes ! »

Voilà un *Così fan tutte* auquel Mozart et Da Ponte n'avaient pas songé...

Le dernier verre

Troquet populaire, un dimanche vers 19 heures, rue Custine dans le XVIIIe arrondissement. Une douzaine de clients, visiblement des piliers du lieu, déjà bien éméchés, continuent de se saouler en échangeant des vannes plus ou moins inspirées avec le bienveillant barman, qui les sert et les ressert. Dans un coin, je fais semblant de lire un livre d'Alain Supiot qui a pour titre *Homo juridicus*.

Soudain l'unique femme parmi le groupe de clients – une petite blonde ivre morte d'une cinquantaine d'années – se met à chanter. Elle a dû avoir une voix, jadis. «*Je bois / sy-sté-ma-ti-que-ment / pour oublier les amis de ma femme / Je bois / sy-sté-ma-ti-que-ment / pour oublier tous les emmerdements...*»

Les autres rient, enchantés ; ils semblent n'avoir jamais entendu cette chanson.

– C'est Vian, dit modestement la femme, au cas où ils auraient cru qu'elle l'avait inventée toute seule.

– De l'Evian ? dit le barman.

La femme éclate de rire.

— Non, non, Vian, elle est de Boris Vian la chanson, pas l'eau d'Evian !

« L'homme est un animal métaphysique », dit mon livre.

Trop compliqué pour « *Paris Match* »

Drôle de métier que celui de romancier. On tourne autour d'un sujet pendant des mois, on a peur, on fait des cauchemars, prend des notes, entend des bribes de dialogue, aspire à transposer fidèlement ce qu'on a cru voir et comprendre, pas facile car il faut aligner un mot après l'autre, construire, organiser, corriger...

Tour à tour exalté et découragé, on reprend, révise, s'arrache les cheveux, démolit, ça commence à ressembler à quelque chose, c'est infiniment délicat mais on croit avoir montré quel était le rapport, au juste, entre le mur et la vache morte, entre le fusil et le triangle, entre la starlette journaliste de CNN et l'effrayant nuage noir... Peu à peu tout trouve sa place, fait sens, on publie le livre, on se sent un peu calmé, soulagé...

Mais lorsqu'on est invité dans un collège pour en parler et que le prof vous présente aux élèves comme écrivain, la seule question qu'ils ont envie de vous poser, c'est : « Vous êtes passée à la télé ? »

Le ton monte

En chemin pour le métro, on croise un jeune couple en pleine dispute. Très excité, le garçon hurle sur sa compagne. La fille pleurniche, s'excuse, le supplie de se calmer. Les ayant dépassés, on entend qu'il crie plus fort et menace de la frapper. Gênés, on se retourne. Ne faudrait-il pas intervenir? Le garçon dit: «Eh voilà! regarde, tes compatriotes vont se montrer solidaires!»

Tiens! c'est comme ça qu'il interprète notre regard? On le déteste parce qu'il est beur? On veut à tout prix empêcher un beur de lever la main sur une blanche? Cocasse: lui voit une situation raciste et nous, une situation sexiste.

On s'engouffre dans le métro.

Daddies et sugar-daddies

Une libraire me dit avoir tiqué sur une phrase de mon dernier roman. L'héroïne prétend que les prostituées, interrogées sur leur choix de métier, ne parlent jamais de désir, toujours de sous.

Trouvant cette explication un peu courte, la libraire en a parlé à son psy, qui a tiqué lui aussi : « Non, ce n'est pas une histoire d'argent. Les prostituées sont mues par une compulsion profonde, liée le plus souvent à des abus sexuels subis dans l'enfance. »

Il a raison : plus de 85 % des prostituées ont subi de tels abus.

Il faut donc que les pères, frères et beaux-pères, oncles et grands-pères, pasteurs et curés, voisins et instituteurs continuent de violer assidument les fillettes, afin qu'il y ait suffisamment de péripatéticiennes pour les hommes de la génération suivante.

Dors mon bébé, dors

Jalil vient de naître, c'est mon beau-petit-fils, l'enfant de mon beau-fils né en Tunisie et de sa compagne d'origine guadeloupéenne. Comme tout nouveau-né, Jalil est une pure merveille mais, dès que je pose les yeux sur lui, je m'inquiète pour son avenir car discours et mesures racistes fleurissent dans le pays en ce moment...

J'avais déjà remarqué que nombre de berceuses, en anglais et en italien (peut-être moins en français?), tentent de prévenir les bébés de ce qu'il leur pend au nez. *Dors mon bébé, dors, tout va bien, les berceaux font des chutes, et ton papa est loin, et un corbeau va venir t'arracher les yeux,* etc.

Le monde est un lieu cruel, et notre survie, perpétuellement menacée ; autant le savoir tout de suite.

MacShoah

Il paraît que Boltanski va reproduire à l'identique,
à la Armory de New York, l'installation qu'on a
pu voir au printemps dernier au Grand Palais :
des montagnes de vêtements abandonnés, censées
nous rappeler Auschwitz. Et plus tard, la même
pyramide, toujours dans la même disposition,
à Tokyo... Un vrai sens du marketing.

En me rendant à Auschwitz même, à ma
grande consternation, j'avais réagi aux montagnes
de chaussures et de cheveux comme s'il s'agissait
du décor d'un film sur l'extermination des juifs. Si
je me concentrais très fort sur une seule chaussure
d'un seul enfant, j'arrivais à éprouver l'atrocité de
la chose... Mais ensuite surgissaient des questions
embêtantes. Es-tu vraiment venue ici, mue par
le désir d'éprouver de ton mieux l'atrocité ? Que
signifie dans ta vie un tel désir ?

Euh... pas fait exprès de le tuer

Le procès des responsables du génocide cambodgien, en cours ces jours-ci, pose des questions terribles, peut-être insolubles. François Bizot le sait, qui fut pendant plusieurs mois le prisonnier du nommé Douch, dirigeant de l'infâme École S-21. Bizot refuse de tirer de son expérience les leçons rassurantes d'un Claude Lanzmann (du genre : les bourreaux sont coupables et les victimes, innocentes). En préparant ma fuite, reconnaît Bizot, j'ai ramassé une pierre pour tuer celui ou celle dont j'aurais croisé le chemin. Oui, même un enfant, je l'aurais tué sans hésiter, pour sauver ma vie à moi. En quoi vaux-je mieux que Douch ?

Plus problématique encore : le grand âge des coupables au moment de leur jugement. Mettre un vieillard en taule, cela sert-il à autre chose qu'à nous procurer un peu de *Schadenfreude*, le bonheur de voir le malheur des autres ? Germaine Tillion, elle-même survivante du camp de Ravensbrück, a regretté que Papon soit destiné à finir ses jours derrière les barreaux. Elle estimait que la vieillesse était une punition suffisante...

Si seulement ils regrettaient ! Milosevic, Pétain, Pinochet, Douch, Stengl, Eichmann : si seulement les images de l'horreur les torturaient comme elles torturent leurs victimes, jour et nuit, le reste de leur vie. Mais non. Ils demeurent en général impavides, désarçonnés par la violence des accusations contre eux, voire vaguement amusés. C'est impressionnant.

Il a une flèche et elle, flesh

Les intellos hommes et femmes disent un peu tout et n'importe quoi au sujet de la prostitution, sauf : « Ça me plairait que ma fille en soit. » Dans le beau roman de Colum McCann *Et que le vaste monde poursuive sa course folle*, Tillie prétend, blasée, qu'elle est « née » pour tapiner ; n'empêche, elle est affligée de voir sa fille Jazzlyn suivre dans ses pas... Et si l'on ne croit pas les romans on peut écouter, dans le film documentaire *Prostituées et cœurs de mère* de Jean-Michel Carré, les putes elles-mêmes : « Je ne veux pas que mes enfants vivent ce genre d'expérience, je n'accepterais pas, c'est sûr », et leurs filles : « Plus tu grandis, plus tu réalises, et là, tu en souffres, tu vois les blessures que ça laisse... »

Non, rien. Je constate, c'est tout.

Le sort des ancêtres

Nous autres humains sommes loin d'avoir le monopole de la rationalité. Par contre, nous avons le monopole de l'irrationnalité. C'est elle qui, plus que tout, nous caractérise. Qui a déjà vu des chiens se donner des coups de chaînes sur le dos, ou se frapper la tête avec le plat d'une épée jusqu'à en faire jaillir le sang, en souvenir d'un assassinat qui a eu lieu voici quatorze siècles ? Des gorilles s'entremassacrer au nom d'un individu ayant prôné l'amour ? Des girafes se taper la tête contre un mur pendant des heures, pour se lamenter du sort de leurs congénères ?

Non, les animaux demeurent réalistes et sincères. Au lieu de mentir, de fabuler, d'écrire des romans, d'inventer des salades et d'y prêter foi, ils se comportent de façon désespérément rationnelle.

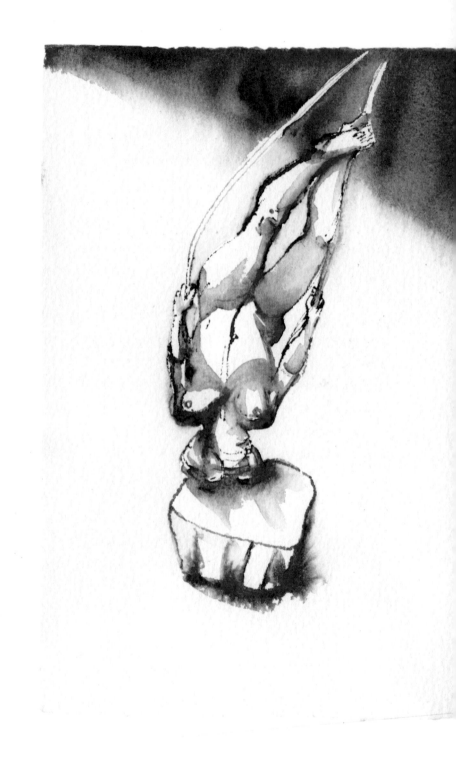

Attention : hommes dangereux

C'est hilarant, quand on y pense. En ce moment, nous sommes obsédés par le danger que représentent : les Roms, les Musulmans, les islamistes, les Iraniens, les Palestiniens, les Africains, les pauvres, les gens de l'hémisphère sud...

Alors que c'est nous, les Européens blancs qui nous estimons si civilisés, qui avons fait déferler sur la Terre au XXe siècle une violence sans précédent, ayant entraîné des dizaines de millions de morts : camps de concentration et d'extermination, déplacements de population, révolutions et guerres civiles, famines planifiées, exploitation violente de la planète, course aux armements, explosions de bombes atomiques, guerres coloniales et mondiales...

Attention ! Grand danger ! Terribles ennemis primitifs et cruels à la peau sombre ! Terroristes déracinés violents dangereux déchaînés fanatiques désespérés prêts à tout capables de tout !

Tiens donc ? Il me semble que, pour nous rattraper, ils ont du chemin à faire.

OCTOBRE

2010

L'essence

Dimanche matin près d'Avignon : je dois faire le plein avant de rendre ma voiture de location, la station-service est vide, qu'à cela ne tienne, je glisse ma carte bancaire dans une fente, une voix désincarnée me dit de saisir mon code, faire mon choix de carburant, ne pas oublier mon reçu, puis elle me remercie et se tait, je redémarre en me disant que, certes, c'est formidable de pouvoir remplir son réservoir le dimanche sans déranger personne mais qu'il manque à cet événement... quoi ? quelque chose comme *l'essence*.

Soudain je suis envahie par une nostalgie perçante, à songer aux bons vieux jours quand mon père s'arrêtait à une station-service et un type halé, en blue-jeans, les mains noires de graisse, venait vers nous d'un pas tranquille et mon père baissait manuellement la vitre pour lui lancer, comme ça, d'homme à homme : « *Fill 'er up !* »

Et les petites flaques d'essence sur le sol faisaient des arcs-en-ciel.

Les autres

Beaucoup de morts en Afghanistan ces derniers mois : vingt ! trente ! quarante !

En disant « beaucoup de morts » nous parlons, bien sûr, des pertes militaires de notre côté, celui de l'Alliance. Je m'étonne que si peu de journalistes se donnent la peine d'enquêter sur le nombre de morts afghans (et suis prête à parier que, parmi ces victimes, il y a nettement plus d'enfants que de talibans). C'est pourtant un chiffre qui devrait nous intéresser, que l'on soit pour ou contre cette guerre.

Pour ? « Ouahhhh, on a réussi à massacrer trois mille sept cent vingt-deux Afghans depuis la mi-avril ! »

Contre ? « Vous rendez-vous compte... Toutes ces vies anéanties pour rien ? Toutes ces veuves... ces orphelins... et ces ados qui maintenant trépignent, impatients de mourir en martyrs pour venger leur père ou leur grand frère assassiné ? »

L'aide

Ma fille travaille à un film documentaire sur le Kosovo, plus précisément sur la manière dont ce petit pays a été géré, neuf ans durant, par la communauté internationale. Portrait d'une non-rencontre, assortie d'un gaspillage effrayant d'argent et d'énergie.

Haïti depuis le tremblement de terre, c'est pareil.

On se précipite pour apporter de l'« aide » à certains pays (et pas à d'autres, tiens, pourquoi ? c'est intéressant). Mais le malade refuse de se coucher. Nous persistons à le secouer, à se l'arracher, à le trimbaler à droite à gauche en civière. Sans doute guérirait-il plus vite s'il pouvait se mettre debout ; s'agirait juste ne pas lui enlever la terre ferme sous les pieds.

Grande salle des glaces

Pour exposer les personnages boursouflés de Jeff Koons, pouvait-on songer à un lieu plus approprié que le palais de Versailles ? Depuis toujours, le pouvoir adore se voir refléter dans des miroirs déformants ; on a beau avoir décapité Louis XVI, on n'a pas encore séparé le roi de son bouffon.

On me dit que la Nouvelle-Zélande a désormais « son » Damien Hirst : un artiste qui réalise des sculptures monumentales composées de milliers d'ustensiles de cuisine. Toute la machinerie de l'art contemporain – banques, musées, spéculations, expositions, critiques – s'est obligeamment mise en marche et les œuvres de ce sculpteur valent désormais de l'or.

Partant, quand des plasticiens soucieux de beauté et de sens demandent de l'aide à l'État, les caisses sont vides, et le grand public peut continuer à croire que TF1 produit de la culture.

D'après nature

Hier : journée internationale du cancer du sein. Deux de mes amies se trouvent actuellement aux prises avec cette maladie... Suis allée voir en préprojection le film de Marie Mandy *Mes deux seins*, qui retrace, une heure et demi durant, le chemin de vie qu'a parcouru Mandy elle-même « grâce » à son cancer.

La puissance du film est sa démonstration que nous sommes matière. Faits de cellules, tout comme les plantes, les minéraux, les autres animaux. Notre pensée vient de la matière, nos rêves aussi, et nos fantasmes... Il n'y a donc pas à choisir : toutes les thérapies peuvent participer à la guérison.

Oui, les seins sont beaux, sensuels ; oui ils sont caressés et désirés par nos amant(e)s puis par nos enfants, oui on y boit du lait ; oui cher Freud on peut faire une fixation sur le sein maternel pour l'aimer ou le haïr ; oui notre corps enregistre nos névroses, nos souvenirs et nos constructions, et peut se fabriquer un cancer avec un problème de vie non résolu : c'est ébahissant et irréfutable. Quand il faut couper, il le faut. On enlève un sein et on le pose là, gros kilo de chair sanguinolente ; on recoud la personne dont on a préalablement aboli la conscience ; oui, cher Bacon, bien sûr que nous sommes viande... mais viande pensante ! viande rigolante ! viande en extase !

Facebook

Je sors déprimée du film *The Social Network*. Ce qui m'afflige ce n'est pas le succès mondial du site Facebook, créé par un jeune geek de Harvard furieux d'avoir été éconduit par sa girlfriend, c'est la sexophilie et le sexisme du milieu dépeint. Cela me fait penser irrésistiblement au film *Truand* : ici et là, pendant que des mecs speedés s'occupent de devenir riches et célèbres (par des moyens légaux ou illégaux, peu importe), des nanas vaguement droguées se trémoussent, pouffent de rire et attendent qu'on vienne les enfiler.

Ce qui ne surprend pas dans le milieu de la pègre parisienne laisse rêveur à l'université de Harvard, fréquentée par les gamins les plus brillants du pays le plus riche et le plus politiquement correct de la Terre. Evaporés, les gains du féminisme ; apparemment aucune fille ne sait programmer un ordinateur ; elles ne servent et ne songent qu'au cul ; le cerveau masculin quant à lui, carbure à mille à l'heure pour élaborer des plans baise.

Ces gamins parlent comme des robots et copulent comme des singes. Entre les deux : rien. Aucun contenu, aucune histoire, aucun partage, aucune durée, aucun approfondissement. On se demande où a pu bien passer ce que l'on appelait, naguère encore, avec un tremblement d'espoir dans la voix... l'humanité.

Affrontements

Un ami qui se rend souvent en Iran nous apprend qu'il existe à Téhéran un stade de foot féminin, et que des Iraniennes y jouent en pantalon, sans voile. (Je n'ai pas demandé si le public des matchs était mixte.) Récemment, paraît-il, l'équipe iranienne de foot féminin a rencontré l'équipe allemande... seulement il s'est avéré que presque tous les membres de celle-ci étaient d'origine turque !

Là, on peut dire que l'humanité a fait des progrès, non ? Au lieu que des dizaines de milliers d'hommes turcs et iraniens s'affrontent sur le champ de bataille, comme cela s'est produit pendant des siècles, onze Turques et onze Iraniennes s'affrontent sur un terrain de foot !

(Je plaisante, je plaisante, je sais bien que l'un n'empêche pas l'autre.)

Noirs, noirs désirs

Quand j'assistais, moi jeune-intello-française-d'adoption, plus-catholique-que-le-pape, aux séminaires de Roland Barthes et de Jacques Lacan dans les années 70, je considérais que rien chez l'être humain ne relevait de l'animal; qu'au commencement était le Verbe (tiens, tiens); que tous nos désirs étaient des constructions, la résultante d'un jeu complexe de projections et de reflets...

Je n'oublie pas les sentences du genre : « La femme n'ex-iste pas », « Il n'y a pas de rapport sexuel », ou encore : « L'inconscient est structuré comme un langage. »

Mais je suis revenue de cette manière de voir. Je pense qu'on est bel et bien des animaux; je pense en particulier que, chez nous autres primates supérieurs dotés d'un grand cerveau, ce n'est pas demain la veille que s'arrêtera la violence des mâles contre les femelles. En revanche, on peut essayer d'en limiter les dégâts; et pour cela, la manière d'en parler est cruciale. Autour du meurtre de Marie Trintignant

par Bertrand Cantat, les médias ont vraiment débla-
téré à tort et à travers.

La question n'était pas de savoir : arrivait-il
à Marie d'être violente aussi ? mais : qui a frappé
Bertrand Cantat dans son enfance ?

Et la question n'était pas de savoir : pendant
combien d'années Cantat aurait-il dû rester en
prison ? Mais : que peut-il chanter à partir de maintenant, pour dissuader d'autres garçons de lever la
main sur d'autres filles ?

Zola au miroir

Dialogue avec une maquilleuse, l'autre soir, avant d'entrer sur un plateau télé :

– Il coule, votre mascara, me dit-elle avec une moue de dégoût, tendant la main pour attraper le lait démaquillant.

– Eh ! oui. (Je me sens coupable : je suis mal soignée…)

– Vous prenez quoi ? demande-t-elle en frottant sans ménagement les saletés sur mon visage.

– Euh… (Plus coupable encore : je ne sais même pas !) Bof, ça m'est un peu égal, vous savez, je passe mes journées seule du matin au soir, personne ne me regarde.

– Mais c'est du Zola, ce que vous me racontez !

– Vous avez raison… sauf que c'est moi, Zola.

Un paradoxe

Le « discours de Grenoble » de notre président a libéré bien des langues.

Pour la première fois, après trente-sept ans en France dont trente en tant que citoyenne française, je reçois des lettres de haine raciste, me déniant le droit de critiquer ce pays et m'intimant l'ordre de rentrer « chez moi » si je ne suis pas contente.

Le paradoxe étant que, dans ces missives où s'exprime un patriotisme français strident et crispé, l'on bafoue ce dont la France pourrait à juste titre s'enorgueillir : la Déclaration des droits de l'homme, la Constitution, la devise républicaine, l'accueil des étrangers, etc.

Les bébés ! Dans la rue !

Prenant prétexte de la réforme de la retraite, la France se soulève. Important mouvement social. Grèves dans les transports, les raffineries, les lycées...

L'autre jour, la photo d'un groupe de manifestants très jeunes a attiré mon attention. L'un d'entre eux avait la bouche grande ouverte, le visage tordu dans un rictus où se mêlaient colère et jubilation. Visiblement, il criait très fort.

Détail touchant : il avait encore des bagues aux dents. Et je me suis dit : mais c'est un enfant ! Il n'a pas quatorze ans ; ce doit être la première fois qu'il se laisse envahir par une émotion collective, goûte à l'euphorie si particulière de scander un slogan avec la foule. À bien y regarder, il y a dans son rictus plus de plaisir que de colère. Oui, il est plaisant de se dire qu'on est du bon côté, dans une lutte contre l'injustice.

Ce plaisir est si vif que la plupart des gens, de gauche comme de droite, s'en contentent.

Guide de l'agitation sociale
à l'usage des intellectuels

Les gens sont dans la rue.

Les intellectuels aiment l'idée des masses en révolte. Ça leur titille les méninges.

Ils se penchent, pour prendre le pouls de la Liberté... Mais est-ce toujours bien elle qui guide le peuple ?

Au Brésil, Dilma Roussef, la dauphine de Lula, vient de remporter les élections haut la main. Ces derniers jours on a interviewé des gens simples, les gens des favelas, qui avaient voté Lula et avaient l'intention de voter Roussef. Ils n'ont pas parlé de liberté mais d'électroménager. Avant Lula ils n'avaient pas d'électroménager ; maintenant ils en ont.

Entendant cela, il ne faut ni se moquer, ni hausser les épaules devant le « matérialisme » désespérant du monde contemporain. Électroménager et Liberté sont peut-être bel et bien liés : le lave-linge ne figure-t-il parmi les *sine qua non* de la libération des femmes en Occident ?

NOVEMBRE

2010

Maisons de verre

On vient de passer une semaine de « résidence pour écrivains » dans les collines à l'ouest de Florence. De toute évidence, l'architecte du lieu était un verromane ou un verrophile ; pas évident de se concentrer devant une baie vitrée qui donne sur un parking... Quand, à la fin du séjour, le sympathique directeur de la fondation me demande si tout a été à mon goût, j'ose répondre : « Oui, à un détail près : les écrivains... euh... aiment bien avoir... une table. »

En effet, dans l'espace qui nous était alloué il n'y avait qu'une seule table ; outre l'inconvénient de servir aussi de table de salon, de salle à manger et de cuisine, celle-ci se trouvait loin de toute prise électrique et était... en verre. On avait les bras glacés au bout de cinq minutes de travail.

Ceci dit, c'était formidable, notre semaine de résidence ; j'espère que ma plainte n'aura pas offusqué le directeur. *Ceux qui habitent une maison de verre / ne doivent pas lancer des pierres*, dit un célèbre proverbe anglais.

Poisson d'avril

Au restaurant, tandis que je mâchouille des calamars qui, hélas, ont été surgelés avant d'être frits, le directeur de la fondation me parle de son rapport à la nourriture. « Ma mère a mille et mille talents, dit-il, mais cuisiner n'en fait pas partie. Je ne m'en suis rendu compte qu'à l'âge de vingt ans, en faisant mon service militaire. À la cantine je m'exclamais à tout bout de champ : "Dis donc ! c'est délicieux !" et les autres appelés me regardaient, interloqués... Mon épouse est pareille, ajoute-t-il avec tendresse : géniale dans son travail, nulle aux fourneaux. »

Nous rigolons.

Entre la famine au tiers monde, le fast-food aux États-Unis, et les femmes professionnelles un peu partout, qui sait ? Il se peut que la cuisine, à terme, soit destinée à disparaître purement et simplement des mœurs humaines.

Le livre et l'épée

« Regardez bien cette *Naissance de Vénus*, dit la jolie guide américaine que je suis à la trace aux Offices. Ce tableau nous est devenu si familier qu'on a du mal à se rendre compte qu'au moment où Botticelli l'a peint, cela faisait plus de *mille ans* qu'on n'avait vu représenter une femme nue ! Si Laurent de Médicis a eu le droit de commander un tel tableau, c'est qu'il avait financé la construction d'un grand monastère et le pape lui avait pardonné d'avance tous ses péchés jusqu'à la mort. »

Deux salles plus loin : « Fra Filippo Lippi avait "fauté" avec une bonne sœur, et Cosme l'Ancien était intervenu auprès des puissances ecclésiastiques pour lui sauver la vie ; du coup le peintre lui a offert son plus beau portrait de la *Sainte Famille*... »

Que d'hypocrisie chez les pères de l'Église, brandissant la Bible comme une arme mortelle et se livrant à des négociations perverses ! On préférerait presque Berlusconi qui, au moins, assume ses pulsions et appelle un chat un chat.

Un temps et un lieu pour chaque chose

Arpentant l'expo des « Caravagesques », toujours aux Offices, je fais des photos clandestines de plusieurs femmes meurtrières : les deux *Judith* d'Artemesia Gentileschi ; la *Salomé* de Battistello et celle de Caracciolo, la *Judith* de Francesco et celle de Rustici... C'est un vrai tabou pour les femmes, l'arme blanche. Du coup, il est troublant de les voir en train de carrément décapiter des hommes, l'air impassible, déterminée, voire euphorique.

Ensuite, ayant acheté le roman de Susan Vreeland *La Passion d'Artemesia Gentileschi*, j'apprends que cette peintre remarquable du XVIIe a été violée à l'âge de dix-sept ans par un ami de son père. Et je le comprends soudain, ce petit air impassible et déterminée.

Magnétisme

Anna, la fillette de pas tout à fait neuf ans avec qui nous visitons le musée San Marco, a bien compris le côté prestidigitateur de Jésus-Christ. « C'est ça, oui, c'est un vrai magicien, il sait marcher sur l'eau, il sait transformer l'eau en vin, alors si Satan l'embête avec toutes ces tentations, pourquoi il ne le transforme pas en poulet ? »

« Regarde, les trois femmes viennent se recueillir sur sa tombe et la trouvent vide. Il a laissé un mot. Eh ! Désolée les filles, pouvais pas vous attendre, finalement ça me dit rien qui vaille, la mort — ciao, je vous enverrai une carte postale ! »

Entendre une petite fille parler ainsi me déconcerte. À son âge, petite-fille de pasteur, nièce de missionnaire et belle-fille d'une catholique fervente, jamais je n'aurais osé plaisanter ainsi.

Origine des espèces

Le jour, mon cerveau absorbe tant d'images extra-ordinaires en passant d'un musée et d'un monument à l'autre que, la nuit, il commence à les mélanger. Des mains poussent au serpent du jardin d'Éden. Au lieu de naître d'Adam et d'Ève, Caïn et Abel jaillissent de la tête de Pinocchio, dont l'effigie pendouille dans tous les kiosques de souvenirs.

En notre for intérieur, nulle contradiction entre darwinisme et créationnisme. Pur produit de l'évolution, le cerveau est lui-même créationniste !

C'est ce que savait Goya, me dit T. Et, tandis que nous arpentons les ruelles étroites qui ont vu naître *L'Enfer* de Dante voici sept siècles, il me cite cette phrase admirable de Malraux : « Les anciens montraient l'homme en enfer ; Goya, le premier, a montré l'enfer en l'homme. »

Une pulsion

Comme tous les romanciers sans doute, je vis «dans ma tête» avec mes personnages comme avec des personnes vivantes. À la nouvelle sacristie de la Chapelle des Médicis, je trouve naturel de reconnaître en la *Madone* de Michel-Ange ma Saffie dans *L'Empreinte de l'ange*. Même regard vide, triste, absent. Tenant d'une seule main son bébé – dont le corps s'arc-boute dans une torsion incroyable – elle semble le rejeter, le repousser, tant le mouvement de son autre épaule est vers l'arrière. Le fils de Saffie comme celui de la Vierge connaîtra une fin tragique.

Le surlendemain, ma lecture de fin de résidence a lieu dans un bâtiment situé à deux pas de l'hôpital Santa Maria Nuova : l'endroit même où sera découverte, dans les dernières pages d'*Infrarouge,* la grave maladie dont souffre le père de Rena Greenblatt. Je ne l'avais jamais visité, cet hôpital. Maintenant je le visite, bouleversée...

Serons-nous punis un jour, nous autres artistes, pour tous nos meurtres imaginaires ?

Naissance d'une idée

Grâce à mes insomnies, et au dépaysement, et au fait de « perdre beaucoup de temps » en flânant dans les rues de Florence, j'ai soudain l'idée – non, la certitude, non, la révélation – de ce que sera mon prochain roman. J'ai beau dire, avec Flaubert, que l'inspiration, c'est la table, je dois reconnaître que ces moments de fulguration créatrice se produisent presque toujours loin de toute table, me prenant au dépourvu, jaillissant telles des hallucinations d'un cerveau distrait ou flottant.

Aucun souci, en fin de compte, la table en verre ! Pas grave, laissez, cher ami, laissez.

L'héritage

J'ai beau essayer, je n'arrive pas à comprendre la logique de Tilo Sarrasin, cet auteur allemand qui, malgré son nom aux résonances mauresques, vient de vendre un million et demi d'exemplaires d'un livre expliquant pourquoi il faut bouter les musulmans hors de l'Europe. Voici son raisonnement : les musulmans sont plus bêtes que les chrétiens, les gens bêtes font plus d'enfants que les gens intelligents ; ainsi, dans une affolante spirale exponentielle, la population européenne va devenir de plus en plus bête car de plus en plus musulmane.

Ce qui laisse rêveur dans ce raisonnement mais semble passer inaperçu à la plupart des commentateurs de Sarrasin, c'est l'idée que les individus à QI bas (de quelque origine que ce soit) sont indésirables. Quelle idée ! On en a besoin ! Catastrophe, une population à QI moyen de 140 ! Quid de la paysannerie européenne pendant les deux mille ans de l'histoire moderne, dont nous sommes tous les descendants ? Quid des malheureux qui affluent en masse à Lourdes chaque année dans l'espoir de voir les estropiés danser et les aveugles, recouvrer la vue ? Quid des masses qui s'affalent devant leur télé pour regarder *Qui veut gagner des millions ?* Quid des supporters de foot qui se soulent et se bagarrent ?

Aïe, s'il faut se débarasser des idiots, on n'est pas sorti de l'auberge. À Flaubert qui vitupérait comme à son habitude l'affligeante bêtise de la populace, George Sand répondait, voici un siècle et demi : « Pauvre chère bêtise, que je ne hais pas, moi, et que je regarde avec des yeux maternels. »

Rustique

En me présentant pour une lecture, un directeur de théâtre – voulant me faire plaisir ou se montrer « à la page » ou les deux – dit que je me suis intéressée dans ma jeunesse aux *gender studies* (aux « études du genre »). « Pas du tout, rectifié-je doucement quand vient mon tour au micro. J'ai fait partie du mouvement des femmes ! »

Ils m'énervent, ces penseurs angéliques (oui, car des anges aussi nous décrétons le sexe inconnaissable) qui se bandent les yeux, assènent leur dogme de la différence sexuelle comme pure construction et fantasment un monde humain *trans*, *multi* ou *post-sexuel*, où fôlatreraient des corps libérés de tout souci de différence.

Balayant d'un revers de la main les millénaires de l'histoire humaine et les actualités du jour, les prétendus « universalistes » martèlent qu'il n'y a pas deux mais toute une kyrielle de sexes. Si vous suggérez que les hommes auraient quelques petites choses à apprendre des femmes, ils vous répondent que celles-ci sont en fait aussi violentes que ceux-là. Faites valoir l'existence possible de connaissances élaborées par les femmes qu'il serait dommage de brader, vous êtes un « essentialiste » ; osez faire remarquer les injustices qui frappent les femmes en particulier, vous devenez un « victimaire ». Et le tour est joué.

Pendant ce temps, sont traités de « rustiques » ceux qui rappellent les faits : les garçons souffrent d'être des garçons : ce sont eux les soldats, les délinquants, les toxicomanes, les victimes d'accidents, les suicidés ; les filles souffrent d'être des filles : ce sont elles les violées, les voilées, les prostituées, les battues, les excisées. Si l'on décrète l'indifférence des sexes, comment faire pour *penser* ces plaies, sans parler de les *panser* ?

« *Venez voir le magnifique Père Nature dehors !* »

Exercice de la semaine : compter, dans votre quotidien préféré, le nombre d'hommes et de femmes évoqués. Jour après jour vous obtiendrez des statistiques concluantes : les nouvelles du monde sont, sauf exception, les nouvelles des hommes du monde. Une bande de Martiens qui débarquerait sur Terre s'en étonnerait : pourquoi les seuls phallophores sont-ils visibles dans le domaine public ?

Pour nous autres Terriens, ce fait demeure mystérieusement imperceptible.

Les pommes ne tombent pas loin du pommier

Avec mes amis jazzmen on continue de travailler au spectacle *Le Mâle entendu*. Après l'enfance, l'adolescence, les bandaisons, tripotages, masturbations, dépucelages, frissons, déboires et délices amoureux, on aborde maintenant, en fin de parcours, la question de la paternité. L'un se rappelle s'être dit, en rentrant de la clinique où son premier enfant venait de naître : « Jusqu'aujourd'hui, je disais : *famille, je vous hais !* Maintenant, enterrant le *h* de la guerre, je dirai : *famille, je vous ai !* »

C'est cocasse. Génération après génération, dans nos sociétés modernes, les jeunes gens font tout pour se libérer de papa-maman... et sont persuadés, quelques petites années plus tard, que leurs enfants les adoreront à jamais.

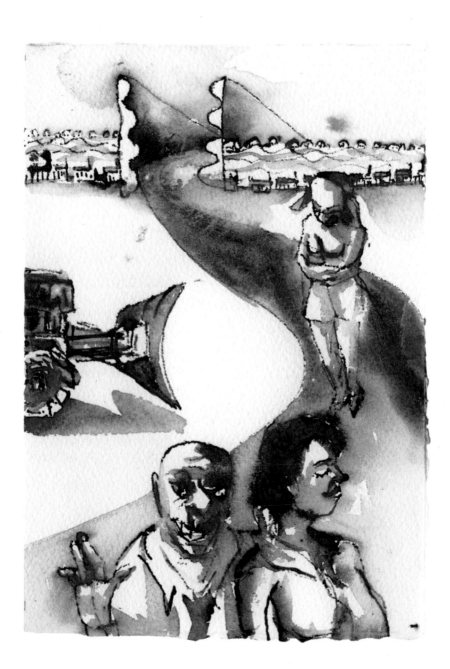

Elle ne bougera plus

Mon père a passé une bonne partie de son enfance à Fort McLeod, dans l'est de l'Alberta.

De nos jours, Fort McLeod est le centre névralgique de l'exploitation des sables bitumineux canadiens. Il s'agit d'extraire du pétrole pour le vendre aux États-Unis – et l'Alberta, en la matière, est au deuxième rang mondial, juste derrière l'Arabie saoudite.

On devine tout de suite l'enchaînement: paysages saccagés, beauté naturelle détruite, pollution gravissime, oiseaux morts, Indiens cancéreux, médecins harcelés, politiciens corrompus, mensonges hypocrites... Apparemment, pour dissuader les animaux de boire l'eau des lacs empoisonnés, on tire maintenant un assourdissant coup de canon, toutes les deux ou trois minutes...

Envie de me planter au milieu des sables bitumineux et de hurler jusqu'à ce que ça s'arrête.

DÉCEMBRE

2010

Priorités

Un ami a organisé un colloque sur le thème « Dieu et les femmes ». Y a-t-il question plus importante, dans le monde d'aujourd'hui ? Peut-être, mais je n'en vois pas beaucoup.

Le colloque s'est déroulé, deux jours durant, au Sénat, c'est-à-dire au cœur de la capitale, près du jardin de Luxembourg.

Sur soixante millions de Français, quatre-vingt-sept ont réservé des places.

Trente sont venus.

Deux étaient des hommes.

Les 29 999 998 autres hommes français devaient avoir d'autres priorités, ces jours-là.

Priorités bis

Venue à Guadalajara pour une foire du livre, je vois en l'espace de trois jours : étudiants qui protestent ; femmes qui dansent, faisant tournoyer leurs grandes jupes de couleur ; mariachis – droits, brillants, rigides, s'exprimant à la guitare et à la trompette ; et là, que se passe-t-il ? camion camouflage, hérissé de soldats également en camouflage portant fusils-mitrailleurs... Ah mais oui, bien sûr, ça, c'est la fonction « défense », de loin la plus importante. (Aux États-Unis, le Pentagone et le département Défense engloutissent à eux seuls 60 % du PNB ; les 40 % restants sont répartis entre tous les autres besoins de la société : logement, éducation, santé, environnement, justice, culture...)

Ce qui est passionnant quand on voyage dans un pays dont on maîtrise mal la langue, c'est la rapidité avec laquelle on reconnaît les invariables de la société humaine.

Business as usual

Rue Tacuba, au centre-ville de Mexico, je passe devant une échoppe qui vend des DVD. Agglutinée devant l'échoppe, une petite foule regarde le film qui passe : du gore, visiblement ; la bande son est faite d'hurlements atroces sur fond de musique hystérique.

Autour, la vie continue le plus tranquillement du monde. Les flics dirigent la circulation d'une main paresseuse, sans broncher, ils écoutent ça à longueur de journée, ils ont l'habitude…

Business as usual.

Progrès

Au Musée anthropologique de Mexico, je regarde des ossements humains décorés, polis, coupés et retravaillés. L'écriteau posé parmi eux évoque le cannibalisme, pratique courante à l'époque précolombienne : « Les os humains portent à leur surface des traces de couteau (...). On brisait les longs os des bras et des jambes pour en sortir la moelle, riche en nutritifs et en graisses. On brisait également le crâne pour en sortir la cervelle. Presque tous les os montrent des altérations dues à la chaleur, indiquant qu'ils ont été bouillis ou rôtis. »

Au même musée, on peut constater qu'au deuxième millénaire av. J.-C. comme aujourd'hui, les femmes se faisaient belles, cuisinaient et accouchaient, les hommes s'affrontaient sur les terrains de sport et s'entremassacraient sur les champs de bataille.

Qui dit que l'humanité ne progresse pas ? Au moins avons-nous cessé de nous bouffer la cervelle !

Resserrer les liens

Suis allée hier soir au théâtre de la Colline voir *Lulu* de Wedekind : pourquoi cette belle jeune femme désire-t-elle être ligotée et battue, pourquoi est-elle si soumise, si prête à obéir à n'importe quel homme ? À la différence de Pabst qui a adapté la pièce pour le cinéma en faisant de Lulu une pure instance du Mal romantique, Wedekind suggère une réponse à cette question : toute petite, Lulu a subi des sévices sexuels aux mains de « son père », l'homme qui l'avait ramassée dans le caniveau.

Est-ce ainsi que les liens se resserrent ? Ben oui... j'ai tendance à penser que dans les mises en scène SM, chacun règle ses comptes avec le parent de l'autre sexe.

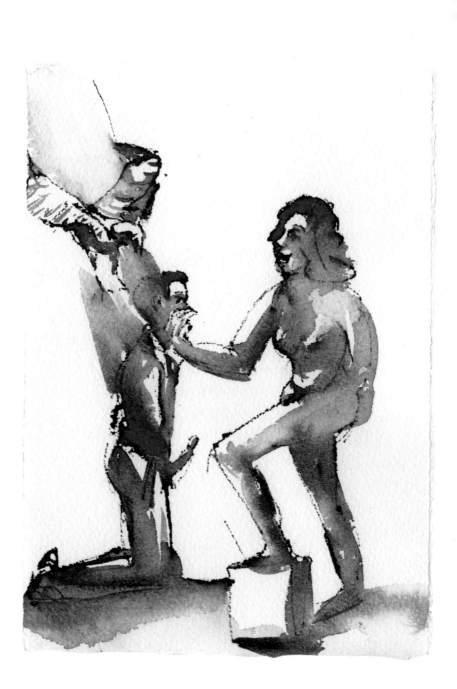

Tu vas voler, ma chérie

Rencontré l'autre jour un kinésithérapeute dont la plupart des patients sont des artistes du spectacle. Il en a vu des vertes et des pas mûres…

Un jour, une femme arrive dans son cabinet, se plaignant de douleurs musculaires à l'épaule droite… Pendant qu'il la masse, la patiente émet force gémissements et soupirs exaspérés. Cette douleur, dit-elle, l'empêche d'exercer convenablement son métier. Perplexe, le kiné finit par lui demander de quel métier il s'agit, et elle répond : « Dominatrix. En ce moment, c'est tout juste si je suis capable d'administrer la fessée aux petits vieux ! »

En quel honneur ?

Que seules les guenons accouchent, mettant au monde des bébés tant mâles que femelles, les singes mâles s'en fichent comme de l'an quarante.

Les mâles humains, en revanche, n'en reviennent pas, ne s'en remettent pas.

Depuis la nuit des temps ils scrutent, tripotent, ouvrent et referment, sculptent et dessinent le corps de la femelle pour comprendre non seulement comment se passe cette histoire de gestation, mais de quel droit, ou en quel honneur, ils en sont exclus.

L'ambivalence

Au sortir d'une petite enfance vécue sous l'autorité d'une femme, l'homme regarde le corps féminin avec ambivalence, en le désirant et en le redoutant, en le jalousant et en le détestant. L'ambivalence fait l'humanité, fait l'art. Pas d'ambivalence chez les autres primates. Pas d'art non plus.

Des yeux masculins regardent un corps féminin : immense paradigme de notre espèce. Pendant les deux mille millénaires de l'évolution humaine, c'est-à-dire jusqu'à avant-hier : l'homme regarde, la femme est regardée. L'homme appréhende le mystère du monde, la femme *est* ce mystère. L'homme peint, sculpte, dessine puis filme et photographie le corps fécond ; la femme *est* ce corps.

Pas évident de faire bouger ce truc-là.

Ici, nous sommes libres

Quand j'ai séjourné au Liban voici quelques années, on voyait sur la route entre Beyrouth et Damas deux types de panneaux d'affichage en alternance : des hommes politiques, le plus souvent enturbannés, portant des lunettes fumées ; des femmes en sous-tifs. C'est ainsi que les Libanais provoquaient les Syriens : *ici,* se vantent-ils, *nous sommes libres !*

De nos jours, la liberté d'un pays se mesure au droit qu'ont les hommes de ce pays d'exhiber publiquement la chair nue des femmes de ce pays.

Elle donne naissance au monde,
il joue avec des trains

C'est curieux : tout le monde parle comme si le foyer, ce lieu de l'intimité et de la domesticité qui comprend les chambres à coucher, la salle de bains, la buanderie, la cuisine, était féminin dans son essence, et comme si l'arène publique (juridique, économique, militaire) était, lui, mixte.

C'est le contraire qui est vrai : l'univers privé est mixte (les hommes autant que les femmes y habitent, mangent, dorment, font l'amour, élèvent leurs enfants, regardent la télévision), alors que le monde public est masculin de façon écrasante.

Le défi, lorsqu'on remarque ce genre d'énormité, c'est d'en faire ressortir l'aspect comique ; sans quoi on devient un redresseur de torts professionnel, infatigable mais fatigant.

« Tue Dieu ! » a dit un jour, de façon mémorable, un ami que je tannais de la sorte.

Exalter la déesse tout en piétinant la femme

C'est presque touchant, la bonne foi avec laquelle les hommes sont prêts à citer les histoires, fables et mythes qu'ils ont eux-mêmes inventés pour justifier un état de fait auquel ils tiennent. « Tout le mal vient des femmes », par exemple : il suffit de songer à Ève, à Pandore, etc.

Au Sénégal, on m'a cité ce petit bout de sagesse populaire : « Qui est le plus fort ? Un homme bâti comme un Hercule ? Non, puisqu'il se déshabille devant sa femme, elle est donc plus forte que lui. Sa femme alors ? Non, parce qu'elle-même est désarmée devant son bébé. C'est donc le bébé, le plus fort. »

Forts de ce joli paradoxe, les hommes continuent de diriger tranquillement le gouvernement, les universités, les confréries religieuses, les mosquées, les familles, l'armée...

Comment peut-on s'échapper?

Sur un site d'extrême droite en Espagne, une ministre qui a osé promouvoir l'éducation sexuelle dans les écoles est traitée de « truie » et de « salope », les cours en la matière assimilés à des abus sexuels contre les adolescents; on ne peut à la fois, dit le site, interdire la cigarette et apprendre aux gamins à se branler.

Que l'on revienne donc aux normes traditionnelles! Que les hommes demeurent dans l'ignorance et l'abstinence jusqu'au mariage, et disposent ensuite d'une épouse pure et frigide pour l'enfantement et de putes pour le plaisir!

Dans certains domaines, me semble-t-il, le relativisme est absurde. Je suis convaincue que les femmes de la *Maison de Bernarda Alba* auraient préféré mon existence à la leur.

... Allez, viens mon amour, on se barre.

Jouissance et enfin la paix

On devrait apprendre aux adolescents espagnols, et aux petits garçons afghans, et à ceux du monde entier, comme peut être merveilleuse la sensation de paix qui survient après l'amour.

N'avoir plus rien à prouver. Se sentir aimé.

Ô mais je rêve.

JANVIER

2011

Politique de la couche-culotte

On voudrait que les choses soient simples mais, hélas ! même les plus simples d'entre elles sont d'une complexité confondante. Prenez les bébés avant l'apprentissage de la propreté. Que faut-il en faire ? En Occident depuis une cinquantaine d'années, la réponse semble évidente : leur mettre des couches jetables.

Mais les couches jetables finissent en milliers de tonnes de déchets non biodégradables ; du coup, avec la conscience écologique qui se renforce ces derniers temps, on songe à d'autres solutions. On s'aperçoit que dans certains pays, moins riches que les nôtres, au Rwanda notamment, les bébés ne portent jamais de couche et apprennent la propreté plus tôt que chez nous. Çà et là des articles paraissent, recommandant l'abandon pur et simple des couches dans le monde entier.

Mais ensuite, dans un livre sur la violence éducative, on apprend que ce dressage des tout-petits, au Rwanda très précisément, passe par des gifles et des fessées. Le bébé apprend à redouter la violence chaque fois qu'il « a envie ». Manière efficace, peut-être, de stopper l'empathie avec soi-même, et donc *a fortiori* avec autrui ? Bon point de départ, peut-être, pour la formation de massacreurs ?

Ah là là, on part des couches-culottes et on finit coincé dans un choix entre pollution et violence... Décidément, rien n'est simple !

Si les Chinois s'y mettent

C'est hilarant, la fréquence avec laquelle j'entends ces derniers temps : « Quand même, faudrait pas que les Chinois s'y mettent ! »

D'abord il ne fallait pas qu'ils veuillent tous manger du yaourt... puis de la viande... ensuite il ne fallait pas qu'ils aspirent à avoir chacun sa voiture...

Et maintenant : si cinquante millions de bébés chinois se mettent à salir huit couches-culottes par jour, alors là, *non !*

Bon test pour notre conscience écologique : si on ne veut pas que tel comportement puisse être adopté par un milliard et demi de Chinois, il faudrait y renoncer soi-même.

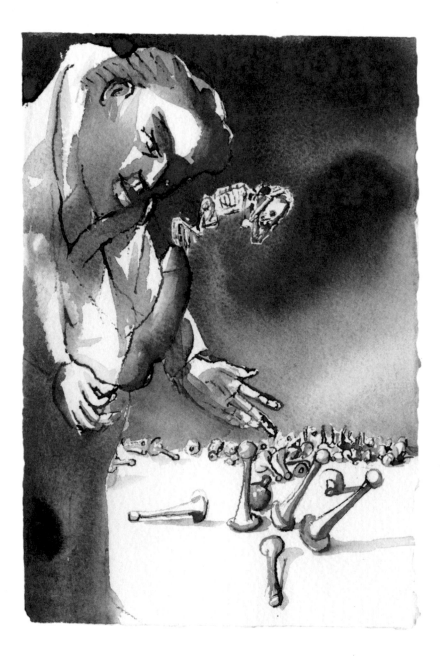

Interdit de plaisanter

Parfois l'actualité me pousse à faire des blagues atroces, politiquement non seulement incorrectes mais choquantes.

Deux mille personnes seraient mortes en France pour avoir pris comme coupe-faim le médicament Médiator… (Oui, mais *minces*. Au moins elles sont mortes minces !)

Une amante de Julien Assanges l'accuse maintenant de viol, sous prétexte qu'il n'a pas remplacé une capote défectueuse. (*Wiki Leaks*. Franchement.)

Gourous et grigris

Sans doute le *fond* de toutes les religions est-il le même : il s'agit d'apaiser notre peur de la mort, de nous lier les uns aux autres et de nous transmettre des valeurs qui nous permettront de vivre ensemble. Hélas, comme le savait Romain Gary, la valeur spirituelle la plus répandue dans notre espèce est la connerie ; du coup, les religions tendent à se réduire à des histoires de gourous et de grigris.

Nicolas Sarkozy, pourtant président d'un État laïc, prétend que l'identité française est inséparable de la tradition chrétienne. À quoi voit-on qu'il est lui-même chrétien ? Eh bien... il fait le signe de la croix lorsqu'il rend visite au pape.

Elles portent, il creuse

Au retour d'un voyage en Afrique dans les années 70, un ami m'a offert un tissage camerounais. On y voyait un homme muni d'un grand bâton, et une femme portant sur la tête une jarre ventrue.

J'ai accroché cette image sur le mur de mon salon, et quand des amis l'admiraient je lançais, avec un petit haussement d'épaules : « Eh oui ! chacun porte son sexe, quoi. »

Une autre image aurait dit le contraire, je ne l'aurais même pas remarquée.

L'important, à cet âge-là, c'est d'avoir l'air revenu de tout.

Fontaine d'idées

Ce qu'on appelle une idée géniale, est-ce autre chose qu'un constat scientifique? Nous on est peut-être ébranlés; les faits, eux, sont tranquilles!

Galilée n'a pas eu une seule idée géniale, Darwin non plus. Ils ont simplement continué de prendre des mesures, comparer, se gratter la tête, gamberger, enregistrer les faits et se demander ce qui pourrait bien les expliquer. Face à eux: méfiance, fureur, cécité des hommes de l'Église qui refusaient tout bonnement de *regarder* (ici dans le microscope, là dans le télescope), de peur de voir leurs dogmes contredits.

Mon père a une fois obligé sa sœur missionnaire à visiter avec lui le musée des dinosaures à Drumheller, dans le sud-est de l'Alberta. C'est lors de cette visite, m'a-t-il confié après, que dans les yeux de sa sœur a affleuré pour la première fois... oh... non pas un doute mais, disons, *l'ombre* d'un doute.

Accompagnée d'une flammèche de terreur. Et effacée aussitôt.

La Terre vue du ciel

Enfant, j'expérimentais souvent dans mes rêves la nuit l'euphorie du vol. Aurais-je pris trop souvent l'avion ? Ce rêve m'a abandonnée depuis longtemps.

J'ai une amie qui voyage plus encore que moi. Une fois, elle m'a raconté le plaisir qu'elle a à survoler de nuit le continent africain. Tout ce noir, au-dessous... constellé, çà et là, de petits bouquets de lumières qui indiquent les villages et les villes : des gens qui se meuvent, discutent, se battent, dansent, jouent de la musique, mangent, bavardent, dorment, bercent leurs enfants...

Comme elle est émouvante, la Terre, vue de très très loin !

Le sacrifice

Naguère encore, dans les campagnes françaises, on pouvait voir les paysans tordre le cou à un poulet ou un lapin, égorger un veau ou un chevreau et le préparer pour un repas de fête. Tout comme le sacrifice du mouton pour la fête musulmane de l'Aïd, ces pratiques sont destinées à disparaître à court terme, condamnées par les lois d'hygiène de plus en plus tatillonnes. Il ne restera plus que les abattoirs.

Après l'écrivain sud-africain J. M. Coetzee, l'Américain Jonathan Safran Foer a publié un livre sur les horreurs qu'implique et entraîne notre régime carnivore. Leurs thèses se rejoignent : notre indifférence devant la souffrance des animaux élevés et tués pour notre consommation n'est ni plus ni moins scandaleuse que l'indifférence des Européens devant l'extermination des juifs pendant la Seconde Guerre. Ici et là, on s'avère étonnamment capable ne pas penser à ce qu'endurent, tout près de nous, des êtres qui souffrent et redoutent leur mort imminente.

Voir et admettre le passage de vie à trépas : voilà de quoi il était question dans tous les sacrifices rituels (y compris le sacrifice humain : les Aztèques, pendant des siècles ; Abraham, ouf, moins une). Voilà, aussi, de quoi il est question dans la corrida.

A-t-on le droit de signer une pétition contre la corrida tout en continuant de s'acheter de fines tranches de jambon sous cellophane ?

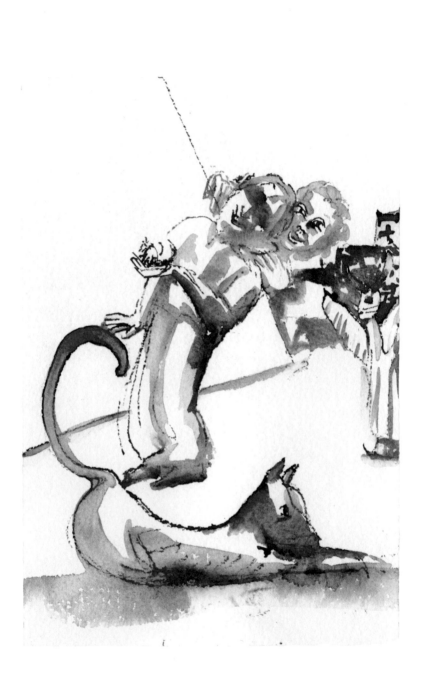

Le chat et la souris

Ce qu'il y a avec la cruauté, c'est qu'elle est palpitante.

Elle a partie liée avec la narrativité.

Elle engendre des histoires.

Quand le chat joue avec la souris (d'après les éthologues), ce n'est pas pour prolonger son malheur, mais pour la voir continuer de bouger : la fin du mouvement de l'une est la fin de l'intérêt de l'autre.

Cette année, membre du jury pour un grand prix littéraire, je lis des dizaines de romans du monde entier. Il est frappant de voir combien souvent le thème de la torture revient dans ce millésime... et combien vite, en tombant sur ce thème-là, l'esprit assoupi du lecteur se réveille. Plus il y a de détails, mieux ça vaut. Ah ? Combien de coups sur le... ? Quel genre de couteau... ? Des incisions de quelle profondeur ?

Ah là là. Et en plus, contrairement aux chats, nous c'est *vraiment* la souffrance qui nous intéresse !

La grosse dame a chanté

Il existe en anglais un proverbe bizarre : « Rien n'est fini tant que la grosse dame n'a pas chanté. » Traduction approximative : Il y a toujours de l'espoir.

C'est faux, bien sûr : il n'y a *pas* toujours de l'espoir, pas du tout. Pour des millions de gens de par le monde, l'espoir est un vain mot ; ce qui donnait un sens à leur vie a été définitivement détruit. Certes, pour les êtres humains de l'an 3700, le malheur de nos contemporains sera aussi dénué d'importance que, pour nous, celui des Chrétiens persécutés et martyrisés en l'an 300.

En fait je crois que la grosse dame c'est la Terre, et que, depuis que l'espèce humaine est apparue à sa surface, elle chante à tue-tête.

La paix ligotée

Longtemps, j'ai refusé de prendre parti dans le conflit au Moyen-Orient. J'avais peut-être mes petites convictions – mais, disais-je, femme à la peau pâle, romancière, canadienne, française, pourquoi les exprimerais-je ? Je n'ai rien à voir avec tout cela.

C'était avant.

Avant d'aller à Tel Aviv, Jérusalem, Gaza, Haïfa et Naplouse en mars 2005. Avant de voir de mes propres yeux : ici, musées et stations balnéaires, là, tanks et kalachnikovs ; ici, voitures de luxe et beaux immeubles modernes ; là, chameaux, montagnes de déchets, oliveraies détruites, routes bombardées. Entre les deux : mur, check-points, humiliation et vexation de vieillards arabes. Avant de subir moi-même, à l'aéroport Ben-Gourion, pour avoir mis les pieds dans les Territoires occupés, humiliation et vexation.

Pourtant, impossible de le nier : chaque fois que je retraversais la frontière en direction d'Israël, je poussais un soupir de soulagement – car, pour une femme à la peau pâle, romancière, canadienne, française, circuler à Gaza ou à Naplouse est souvent désagréable.

Voilà : même si elles sont complexes, j'ai des opinions maintenant.

Et, s'agissant des chances de la paix dans cette partie du monde, un désespoir carabiné.

Le cœur brisé

Le hasard a voulu que le musée de l'Holocauste à Washington ouvre ses portes en mai 1994, alors même que s'enclenchait au Rwanda un nouveau génocide. Philippe Gourevitch, qui a assisté à l'inauguration du musée, raconte que bon nombre de ceux qui faisaient la queue pour voir les abominations perpétrées par les Nazis dans les années 40 étaient munis de pancartes proclamant : « PLUS JAMAIS ÇA ! »

Bien plus réaliste, et plus modeste il faut dire : le titre donné par le peintre Zoran Music à sa série de toiles consacrées aux camps (il avait lui-même été interné à Dachau) : « NOUS NE SOMMES PAS LES DERNIERS. »

Hands on for freedom

Samedi, ma fille a participé à la grande manifestation marquant la fin du régime de Ben Ali en Tunisie. Elle m'a raconté combien l'avait bouleversée, en arrivant place de la République, la banderole géante ceignant la statue...

14 juillet 1789 : RÉVOLUTION FRANÇAISE

14 janvier 2011 : RÉVOLUTION TUNISIENNE

Moi aussi je suis émue de suivre ces événements en direct : impossible de ne pas l'être lorsqu'on connaît les lieux, et un peu les gens ; notre famille a des liens étroits avec la Tunisie.

Malgré moi, je pense à la boutade de Romain Gary : à la fin de chaque guerre, il faudrait créer un comité d'aide aux vainqueurs.

FÉVRIER

2011

Je m'en tape

Dans l'Arctique, les canons à air comprimé utilisés pour l'exploration pétrolière des fonds marins produisent de fortes ondes sonores.

Un des effets secondaires de ces ondes, c'est que les baleines commencent à perdre l'ouïe.

Jadis, je me souviens, Roland Barthes a fait écouter aux élèves de son séminaire un enregistrement de baleines. Pour communiquer entre eux, ces mammifères marins disposent d'une gamme de sons étonnante : chants, soupirs, barrissements, battements, claquements, ululements...

C'est triste : bientôt on ne pourra plus se marrer comme une baleine, car les baleines ne se marreront plus.

Si gros, ils lui ont attaché une troisième jambe

Aux États-Unis, on décrète que l'obésité est une maladie comme les autres, susceptible d'être guérie avec des produits de régime et des médicaments, sans se donner la peine de remarquer que dans les pays pauvres le pourcentage de la population affectée par ladite maladie est proche de zéro.

Dans le même temps, on fait miroiter un idéal de beauté féminine dont la maigreur rappelle justement celle des affamés du tiers monde et, par le tapage publicitaire des magazines féminins et autres formes de propagande addictives, on fait en sorte que les jeunes femmes soient obsédées par leur tour de taille. (Interrogée sur ses rêves pour l'avenir, une jeune Américaine sur trois dit souhaiter plus que tout perdre du poids.)

Rendez-vous dans quelques millions d'années, et les paris sont ouverts : *homo sapiens* aura-t-il alors trois jambes, ou un estomac de la taille d'un petit pois ?

L'avant-garde

– Chéri… Tu crois qu'en fait le clonage a été inventé, pendant qu'on faisait bêtement l'amour ?

– Qu'est-ce que tu racontes ?

– Tu ne trouves pas qu'en peinture comme en théâtre, les représentants les plus célèbres de l'avant-garde font tous la même chose ? C'est curieux, non, cet air de famille ? D'autant plus que tous ces artistes prétendent détester la famille et s'être engendrés sans l'aide de quiconque.

– T'inquiète, ils vont rôtir en enfer. Il y a un nouveau cercle en préparation, rien que pour eux.

Brain-box, intox : la reproduction des élites

Aux États-Unis comme en France, on sait que les grandes écoles servent à fabriquer les hommes d'État, les présidents de banque et d'entreprise... Tout cela a été mis au point il y a longtemps et fonctionne de façon assez efficace.

Quand, toute jeune, je faisais passer des « examens blancs » d'anglais à l'École nationale d'administration, je me rappelle avoir été amusée par la ressemblance des candidats entre eux : tous, presque sans exception, étaient mâles, blancs, bigleux, minces, élégants, crispés, courtois, mal dans leur corps ; en ce qui concerne leur maîtrise de l'anglais, ils étaient bien plus préoccupés par la correction que par la communication.

À part « mâle » (et encore...), tous ces adjectifs décrivent encore assez bien notre élite d'aujourd'hui.

La grande École

Ce qui va moins bien, c'est l'autre extrémité du système. Pour faire des économies, il faudrait, d'une part, construire des couloirs conduisant directement des collèges et lycées techniques de banlieue à la prison et, d'autre part, organiser un peu mieux celle-ci, sachant qu'elle est l'université du crime : ici on apprend les délits, là, les infractions plus graves, par ici le grand banditisme, diverses filières sont à votre disposition... Dans le beau film de Fabienne Godet *Ne me libérez pas je m'en charge*, Michel Vaujour décrit justement la prison de Fresnes comme son « ÉNA ».

Solution miracle

Une amie me raconte comment on l'a soignée après un terrible accident survenu dans sa jeunesse. Elle avait le dos brûlé au troisième degré et, au bout de quatre ou cinq interventions chirurgicales, son jeune médecin s'est avoué désemparé. « Vous savez ce qui marche vraiment bien pour la nécrose ? a-t-il fini par lui dire. On le voit sur les charognes : ce sont les asticots. Après avoir consommé la partie pourrie de la chair, ils s'arrêtent net et ça se cautérise. Rien de tel, pour le nettoyage des plaies. Seriez-vous d'accord pour que je vous mette des vers dans le dos ? » Mon amie lui a demandé quelques jours pour réfléchir, et a fini par donner son accord.

Mais, entre-temps, le médecin s'était renseigné auprès de sa hiérarchie, et la réponse de celle-ci l'avait refroidi : « Si ça marche, okay, on n'en parlera plus. Mais si ça ne marche pas, vous n'aurez plus d'emploi... ni dans cet hôpital, ni ailleurs. »

Il a renoncé à son projet.

On n'a donc jamais pu vérifier l'efficacité des vers chirurgiens.

Faire rire les animaux

Ma thérapeute en shiatsu m'apprend que lorsqu'un chien ou un loup montre les dents, ce n'est pas pour menacer l'animal en face mais pour lui signifier : « Si tu m'attaques, je *pourrais* te mordre. » C'est aussi la fonction du sourire, lui dis-je. Dans la ville, je souris quasi constamment aux commerçants pour les désarmer... et ça marche !

Huit jours plus tard, en lisant *Le Fantôme intérieur* du neurologue Ramachandran, je découvre avec ravissement que j'ai vu juste : « Le sourire prend sa forme particulière non par la seule sélection naturelle mais parce qu'il est sorti de son contraire, c'est-à-dire d'un semblant de menace ! Jamais on n'aurait pu déduire cela (...) si l'on ne connaissait, aussi, l'existence des canines, et si on ne savait pas que les primates non-humains montrent les dents en un semblant de menace, et qu'à leur tour ces semblants de menace provenaient de véritables démonstrations de menace. »

Quelques pages plus loin, Ramachandran propose une analyse semblable du chatouillement :

« Vous vous approchez d'une fillette d'un air menaçant, la main tendue. La fillette se demande : "Va-t-il me blesser, me secouer, me cogner ?" Mais non, vos doigts impriment sur son ventre des attouchements légers et intermittents. Ici encore, la recette – une menace suivie de sa dénégation – fonctionne, et la fillette éclate de rire. »

Je me demande, remontant le raisonnement à rebours : et les animaux ? Être chatouilleux, est-ce une spécificité humaine ? En bons scientifiques, il faudrait faire des expériences. Je peux m'imaginer en train de chatouiller un chien ou un chat pour vérifier... mais... un poulet ? Une grenouille ?

Déprime du samedi soir

Les humains peuvent se suicider pour mille raisons, et ils l'ont toujours fait. Ruine financière... peine de cœur... honte publique... maladie inguérissable...

Ce n'est qu'en Occident moderne, avec sa promotion forcenée de l'autonomie individuelle, que l'on se suicide parce que c'est le samedi soir et que l'on est seul.

Taken by surprise

Qui aurait pu s'attendre à cela ? Un chômeur tunisien s'immole par le feu à la mi-décembre et, deux mois plus tard, Moubarak est par terre.

Cela n'a pas été facile. Scènes de guerre civile, dans chacun des deux pays. Des centaines de morts et des milliers de blessés.

Mais aussi des scènes bouleversantes : sur des tanks immobiles, de jeunes soldats tenaient les bébés des femmes vociférantes, munies des banderoles. Les chameaux appelés au secours pour seconder les chevaux dans la répression des foules affamées de liberté ont fait très mollement leur boulot... et les foules ont gagné.

Je crois que je n'avais jamais vu de si près l'utilité réelle, effective, spectaculaire... du martyre.

Bienvenue sur mon yacht

Les ministres manquent gravement de maman.

Une maman, quand son enfant lui annonce qu'il veut prendre des vacances dans tel ou tel pays étranger, se rend tout de suite sur Internet et consulte le site officiel du gouvernement fournissant des informations sur ce pays, notamment sur son niveau de dangerosité. Les pays où se fomentent des révolutions, où se prennent des otages, où s'assassinent des touristes occidentaux, où se produisent de spectaculaires soulèvements populaires, sont formellement déconseillés. J'aurais été la maman de Michèle Alliot-Marie ou de François Fillon, je leur aurais *interdit* de se rendre en Tunisie ou en Égypte pendant les vacances de fin d'année.

Mais ces grands enfants n'en font qu'à leur tête, que voulez-vous, ils se laissent tenter par le soleil, la mer, l'hospitalité somptueuse des riches, c'est irrésistible, oh! on les comprend... *Nobody's perfect.*

Culte de la personnalité

Ben Ali en Tunisie, Moubarak en Égypte... ça déboulonne sec en ce moment. Les dictateurs dégringolent, les affiches et les images de dictateur aussi. J'aurai donc vu cela de mon vivant : dans les années 80, les effigies de Lénine, Marx et Engels encore omniprésents dans les rues de Varsovie ou de Sofia... et, hier encore : Ben Ali à Tunis, Bouteflika à Alger (lors de sa réélection en avril 2009, j'ai vu au Marché aux fleurs des panneaux proclamant fièrement : « Les amis de la plante votent Bouteflika »...)

On pourrait profiter de ce moment pour comprendre qu'il y a là, en soi, l'indice d'un problème politique : dès que l'image du grand chef (ou de la grande cheftaine bien sûr) quitte les écoles et mairies et se met à proliférer dans l'espace public, il y a danger.

Ah ! Mais comment venir à bout de notre besoin d'abdiquer notre intelligence pour qu'un « grand » prenne soin de nous ?

Grève des magistrats

Ils en ont marre, les magistrats, d'être tenus pour responsables par notre chef de l'État, chaque fois qu'un récidiviste viole et assassine une belle jeune femme.

« À croire que c'est nous les coupables ! disent-ils, excédés. Tout de même ! Il y a des limites ! »

À force, à force, à force d'être blâmés... tant qu'à faire, tant qu'à faire...

L'*arroseur arrosé*

Ayant succombé aux charmes d'une de leurs détenues, le directeur et l'un des gardiens d'une grande prison française se retrouvent derrière les barreaux. Ils savaient bien, pourtant, que la jeune femme plantureuse avait naguère attiré dans un guet-apens un pauvre jeune homme, et que celui-ci y a laissé la vie. Ils auraient dû s'en méfier.

Jalouses du téléphone portable et autres privilèges que lui procuraient ses flirts, ce sont les codétenues d'Emma qui ont fini par révéler le pot aux roses.

Les médias adorent ; chacun y va de son commentaire : voilà l'arroseur arrosé, l'écroueur écroué... Clichés, clichés : partout où l'on juge et punit, ça pousse comme du pissenlit.

Si j'écrivais un roman sur cette histoire, je décrirais par le menu les rencontres entre Emma, la vingtaine, et le directeur de prison, quarante et un ans. Je parlerais de leur enfance et de leurs ambitions déçues. Je permettrais aux lecteurs d'entendre leurs conversations, de suivre, geste par geste, souffle par souffle, leurs étreintes, leur tendresse et leur espoir… Grâce à l'empathie de ma plume, leurs qualités secrètes deviendraient visibles, et leurs travers, compréhensibles. En refermant le livre, mes lecteurs et lectrices – oui, même les codétenues jalouses ! – seraient incapables de jeter la pierre.

Je suis une missionnaire ou quoi ?

MARS

2011

Cherche quelqu'un de cher dans ce tas de porcs

On se souvient des piles de vaches mortes (maladie dite de la «vache folle», 2005), des montagnes de poules mortes (grippe aviaire, 2007)... On sait moins qu'en 2009, en raison de la grippe H1N1, l'armée égyptienne a organisé l'abattage de trois cent mille cochons qui vivaient en bonne entente avec les *zabbalines* (chiffonniers) du Caire, dévorant leurs déchets organiques et nourrissant à leur tour les habitants.

Et si, un jour, en ouvrant notre quotidien préféré, on tombait sur le titre suivant : «En guise de représailles, les cochons ont massacré trois cent mille hommes.» Étrange : alors que l'on s'amuse à qualifier de bestiales les pires violences humaines, les animaux ne prennent jamais leur revanche.

La dernière île

Chaque jour apporte son chiffre de morts, dans les périlleuses traversées du Sud vers le Nord. Et des face-à-face sidérants entre nantis et démunis…

Je me rappelle cet homme nommé Sheikh, trente-huit ans, rencontré lors de mon premier jour au Sénégal, qui a gentiment proposé de nous faire visiter le quartier de Yuf. Il ne savait ni lire ni écrire, et gagnait sa vie en vendant des grillades sur la plage. Sheikh nous a raconté le jour où il avait assisté au départ d'une frêle pirogue chargée de cent personnes pour les îles Canaries, à deux mille kilomètres de là. « Mais vous êtes fous ! » avait-il dit à ses amis qui étaient de l'expédition. « Écoute, lui avait-on répondu, c'est oui ou c'est non. »

Ça a été non. Les cent corps pourrissent au fond de la mer, quelque part.

L'âne ne suit pas les moutons

Mon père était un homme plein de sagesse...
Sagesse que, souvent, il savait mieux transmettre à
ses enfants qu'appliquer à sa propre vie. Par exemple,
il nous a toujours appris à poursuivre nos buts et
nos idéaux même s'ils n'étaient pas conformes à ceux
qu'approuvait « la société », et même si cela devait
avoir pour effet de nous isoler. « L'âne ne suit pas
les moutons », nous disait-il. Alors que lui-même
souffrait d'un manque de reconnaissance chronique
et caractérisé.

Au moins a-t-il su trouver d'autres bourriques
pour lui tenir compagnie !

L'art ? Ce sont les applaudissements

Si c'est adoré par les foules, ce doit être bon : faux.
Si c'est adoré par les foules, ce doit être mauvais : faux.

Dommage ! On n'a d'autre choix que de se faire une idée par soi-même.

Beauté banale

L'autre jour j'ai été invitée à venir prendre le thé chez un couple riche et célèbre. Puis, sollicités ailleurs, ils ont annulé. Je me suis rendu compte que la perspective de cette visite n'avait éveillé en moi aucun appétit car je n'escomptais découvrir, dans l'appartement du couple, rien de surprenant. L'intérieur cossu des riches n'est pas intéressant car tout a été choisi pour refléter le goût esthétique des propriétaires et la bonne santé de leur compte bancaire. C'est la beauté banale.

Dans les maisons de pauvres, il y a toujours un coin réservé à la beauté – et ça, ça m'intéresse. Y sont précieusement gardés des objets sacrés. Avant d'y pénétrer, l'on doit ôter ses chaussures. Quelles que soient les misères du reste de l'habitation (lino usé, plomberie pétée, poubelles qui débordent, ascenseurs cassés, murs lépreux, placards vides) – là, paix et recueillement, beauté réelle.

Une simple ampoule éclaire mieux, parfois, qu'un chandelier.

Le ruisseau

« *Cachez ce sein que je ne saurais voir !* » disait Tartuffe.

Cachez le corps féminin, un point c'est tout ! disent les intégristes des trois monothéismes. Comment voulez-vous qu'on réfléchisse aux choses élevées, nous autres purs esprits, s'il y a des nichons et des fesses qui se baladent partout ?

Ma conviction intime est que les religions comme telles (même le bouddhisme, même le vaudou, même les religions animistes primitives), ont été élaborées en grande partie pour aider les hommes à contrôler, à canaliser, à sublimer et à transcender leur désir des femmes.

« Ce n'est pas de leur faute s'ils bandent, les pauvres ! », comme dit mon personnage Rena Greenblatt. Il paraît que même la hiérarchie catholique a été contrainte de reconnaître qu'un homme dont le corps réagit à la vue d'une jolie femme n'est pas en état de péché...

Il va kiffer tes tifs !

Selon les spécialistes de l'évolution, la beauté des femmes est comme le sucre dans le fruit : pas utile en soi, mais très utile pour susciter le désir de ce qui le contient, lequel désir contribuera à la survie de l'espèce, pomme ou homme.

Les femmes se sont toujours arrangées du regard des hommes sur leur corps. Il servait leur intérêt à elles en termes de l'évolution, car il annonçait leur fécondation. Sans doute depuis l'époque du Cro-Magnon, la pulsion scopique masculine a-t-il été une simple donnée de la vie. D'innombrables rituels ont été élaborés autour : vêtements, danses, maquillage, flirts, fiançailles, mariage ; autant de variations sur le thème sempiternel de la femme belle-et-féconde et de l'homme puissant, capable de se battre pour la survie du groupe. (Oh ! cela a changé, certes. Mais moins qu'on ne le croit…)

C'est dur pour les hommes, car ça les divise. Leur raison vit au XXIe siècle, leurs pulsions au Paléolithique.

La balance

Nous sommes le 8 mars. Au restaurant, le soir, j'entends une femme demander l'addition. «C'est la journée internationale de la femme, dit-elle. Alors j'invite mon copain!» «C'est bien, ça! dit le serveur, visiblement impressionné. Dans mon couple, n'importe quel jour, c'est toujours moi qui casque.»

Pas mal de femmes, de nos jours, jouent sur les deux tableaux. Dans la vie diurne, sur leur lieu du travail, elles insistent sur l'égalité des droits; le soir, elles redécouvrent soudain les mérites de la galanterie et baissent modestement les yeux quand arrive l'addition.

Ils se tiennent toujours par la main

Je ne peux m'empêcher de me demander (rarement, mais quand même) à quoi ressemblent les conversations des Badinter à table.

Lui grâce à qui a été abolie la peine de mort; elle qui vomit la notion de l'instinct maternel. Lui qui a tout fait pour adoucir la vie à l'intérieur des prisons françaises, elle qui dénonce bruyamment les excès de deux, trois féministes américaines. Lui qui se scandalise de la stigmatisation de l'islam dans la société française, elle qui conspue les militantes pro-allaitement. C'est tout de même singulier : Badinter E., qui se considère comme universaliste, part en guerre toujours et exclusivement contre les femmes, tandis que Badinter R., sans tenir de grand discours général, me semble, des deux, et de loin, le vrai défenseur des valeurs universelles.

Elle paraît presque humaine

Dans sa célèbre *Proposition modeste*, l'écrivain irlandais Jonathan Swift indiquait au gouvernement britannique le moyen de résoudre d'une seule mesure deux problèmes, celui du surpeuplement et celui de la famine : il fallait manger les enfants des pauvres.

Pour ma part, constatant qu'on n'arrive pas à concilier la prostitution (inévitable) avec les droits de l'homme (sacro-saints), je suggère modestement de créer des mutantes. Il suffirait de lobotomiser systématiquement un certain pourcentage des nouveaux-nés féminins pour que leur cerveau ne soit plus capable de réfléchir, de se souvenir, d'avoir des émotions. Des humanoïdes, en somme, programmés pour séduire, baiser, gémir, et s'exclamer à tout bout de champ : « Oooh, qu'elle est grosse ! »

Le guide de la Révolution

On se comprend, entre guides.

Qu'est-ce que toute cette agitation de la plèbe ? Ça crie, ça saigne, ça remplit les morgues, ça m'empêche de dormir.

Laissez-vous guider, mes petits agneaux, je suis votre berger, faites-moi confiance, comme vous l'avez fait depuis quarante-deux ans déjà. Faites confiance à papa, à tous les pères sévères de la Terre. Hitler, *le Führer*, le guide : ah, il savait diriger un pays, celui-là ! Ou Staline, le bon petit père des peuples, vous vous rappelez ? Maintenant, c'est Medvedev et Poutine, mais on continue à faire de bonnes affaires, la Russie nous vend chaque année, à nous autres pays de la région, des armes pour 7,4 milliards d'euros...

N'essayez pas de perturber notre entente avec vos criailleries, là. Sinon vous comprendrez que les armements, quand on les achète, ce n'est pas pour les stocker éternellement...

Suburban Bliss

Voilà plusieurs mois qu'au Proche et Moyen-Orient les soulèvements se succèdent et ne se ressemblent pas. Les gouvernants européens suivent les événements avec une joie crispée. Car si, d'un côté, cela fait plaisir de voir ces pays déboulonner leurs dictateurs, de l'autre, on redoute que ces chamboulements ne provoquent de nouveaux flux d'immigration vers nos pays à nous. Oh oui on aime bien les Arabes, on trouve même touchant qu'ils nous imitent, empruntant notre vocabulaire libre et démocratique pour faire leurs petites révolutions à eux. On aime bien les Arabes, oui – mais, comme disent les Américains : *Not in my back yard.*

AVRIL

2011

Une mine d'inspiration

Dans un cocktail universitaire, je bavarde avec une brillante et belle essayiste américaine, de mon âge peu ou prou, dont je n'ai pas lu les livres mais dont la réputation m'intimide un peu. Au détour d'une phrase, elle me dit que son grand-père travaillait dans les mines de charbon du Tennessee ; quand je manifeste de l'intérêt, elle ajoute que, petite, elle l'imaginait à la fin de sa journée de travail – « En ce moment il quitte la mine, il marche dans telle rue, il tourne le coin... » Si son grand-père n'ouvrait pas la porte au moment voulu dans son scénario, elle recommençait, toujours à partir de son départ de la mine. « Je me refusais à l'imaginer *au fond* », me dit-elle.

Il s'agit là d'une différence importante entre les intellectuels européens et américains : les ancêtres immédiats de ceux-ci ont souvent connu la pauvreté. Je pense à mes propres aïeuls : l'un, l'orphelin d'un bûcheron sourd-muet et d'une cuisinière aveugle, fut élevé par l'église méthodiste ; l'autre se levait à cinq heures tous les matins pour traire les vaches de la voisine ; l'hiver, n'ayant pas de bottes, il mettait du papier journal dans ses chaussures trouées...

Serait-ce une des raisons pour lesquelles la littérature française contemporaine est cérébrale, et l'américaine, enracinée dans le réel ? Toujours est-il que dans cette soirée où la plupart des conversations tournent autour de Robbe-Grillet ou de Barthes, le récit du grand-père revenant de la mine, encore et encore, dans la tête de sa petite-fille, est pour moi, de loin, le moment le plus passionnant.

Rising

Les aphorismes sont généralement pessimistes. En anglais on dit par exemple que *tout ce qui monte doit redescendre*, comme si les affaires humaines étaient régies par une loi aussi simple que celle de la gravité.

Personnellement, quand je travaille, la descente est ce que je recherche. Descendre toujours plus profondément dans la psyché de mes personnages, me perdre dans des arcanes de leur histoire... La déception, c'est d'avoir à revenir à la surface. (Soupir) *Tout ce qui descend doit remonter.*

Authenticité

Mon amie Irène, Suissesse mariée à Hassan un Marocain, me raconte leur beau périple en Syrie.

Damas : plein de souvenirs pour Hassan qui y a fait une partie de sa scolarité. Alep : mosquée d'une beauté renversante. Mais le clou du voyage était quand même la traversée, à dos de chameau, d'un bout de désert. Ça leur a fait un drôle d'effet, m'a avoué Irène, de voir le jeune chamelier buriné qui leur servait de guide sortir brusquement de sa djellaba un iPhone pour appeler son frère à Brooklyn.

Gary était friand de ce genre d'histoires. Dans *Charge d'âme,* la jeune Tahitienne qui séduit les émules et imitateurs de Paul Gauguin s'avère être une Allemande écœurée par les valeurs capitalistes de son pays natal.

Visage d'extinction

Parce que nous sommes matière, une espèce parmi d'autres sur la planète Terre, et parce que nous savons qu'il y a eu un « avant-l'humain » dans cet univers qui nous a engendrés, nous sommes bien obligés de supposer qu'il y aura aussi un « après-l'humain ».

Je le devine parfois, quand mes yeux rencontrent d'autres yeux. Ceux des crabes, par exemple. Ceux des officiers de l'immigration, américains ou israéliens. Ceux des enthousiastes de Kim Jong-il en Corée du Nord. Ceux des supporters de foot à Liverpool.

Sarah Hrdy le dit bien, à la fin de son livre *Mothers and Others* : rien n'indique que ce que nous entendons aujourd'hui par l'« humanité », à savoir la capacité d'éprouver de l'empathie pour autrui, soit un trait indispensable à la survie de notre espèce.

En aval

Pour justifier sa recommandation d'abstinence sexuelle totale, Tolstoï a écrit dans une lettre à un ami : « Vous m'objecterez que ce sera la fin de la race humaine ? Le beau malheur ! Les animaux antédiluviens ont bien disparu de la terre, les animaux humains disparaîtront aussi... J'ai aussi peu de pitié pour ces animaux à deux pattes, a-t-il ajouté que pour des ichtyosaures. »

Il est vrai que personne n'était là pour filmer les derniers ichtyosaures, et diffuser des images de leur agonie dans nos appartements. Aujourd'hui pendant le repas du soir, nous regardons mourir cormorans, poissons, tortues... Après la marée noire dans le golfe du Mexique, voici la rouge en Hongrie. Les espèces animales disparaissent à un rythme effrayant.

Entre deux publicités, les milliers, dizaines, centaines de milliers de victimes des tsunamis, tremblements de terre, inondations, viennent eux aussi échouer dans notre salon. Ces catastrophes se multiplient et nous rappellent la fragilité foncière de notre présence sur Terre. Nous sommes réellement en train de rendre notre planète inhabitable.

La sagesse philosophique consisterait-elle à atteindre l'indifférence à cet égard ? Il me semble que si l'on y parvenait on ne serait pas des philosophes, pas même des hommes ; non ; on serait enfin des dieux.

La victime de tout

Il y a des femmes qui blâment tout et n'importe quoi pour ce qui ne va pas dans leur vie. C'est la faute aux mecs... au temps qui passe... aux autres belles femmes... à la société...

Mais non, ma petite, a-t-on envie de leur répondre, tu es juste lamentable.

Cela existe-t-il, des gens « juste lamentables » ?

Ni un psychothérapeute ni un avocat ne peut parler ainsi, car ils sont payés pour donner raison à leurs clients...

C'est pareil pour les romanciers, à bien y réfléchir. Quand j'écris un roman, je n'ai pas le droit de trouver un de mes personnages « juste lamentable ».

Fruits étranges

Vacances de Pâques dans le Berry : on visite une expo de peinture locale. Des artistes du coin peignent le paysage du coin. C'est sympathique mais légèrement ennuyeux, pourquoi ? Soudain je me dis que c'est à cause des animaux. Impossible de faire de la bonne peinture avec des animaux vivants.

C'est que la grande tradition picturale en Occident est tragique, et parle de mortalité. Pour mériter notre intérêt, les animaux peints doivent être soit morts (poissons, pintades, etc. dans les natures mortes ; carcasses de boeuf de Rembrandt ou de Soutine), soit susceptibles de mourir (taureaux de Goya ou de Picasso ; chevaux harnachés pour la guerre chez Ucello...). À la rigueur ils peuvent être lointains et minuscules (taches blanches impressionnistes : des vaches).

Mettre un être humain au centre d'une toile ne pose aucun problème parce que l'homme se sait mortel ; il est poignant par définition.

Le chien de Goya, lui, est humain.

347

À *transformer en poudre*

Chaque fois que nous sommes dans le Berry, nos amis nous parlent de la perte du sens des choses.

Dans les écoles primaires et les hôpitaux, par exemple : au lieu de s'occuper des enfants ou des malades dont ils ont la charge, institutrices et infirmières passent leur temps à remplir des formulaires. Leur métier en devient décervelant, décourageant.

Janine raconte la Journée du goût à l'école primaire, l'an dernier : elle avait décidé de balancer les formulaires à la poubelle et de préparer avec les gamins des tartines à l'ancienne, faisant revivre les gestes de leur grand-mère : baratter le beurre, pétrir la pâte à pain, râper le chocolat, faire des confitures : pur délice !

Mais à la génération suivante ce sera fini, car les grand-mères elles-mêmes ne connaîtront plus les recettes. Déjà, dans les cantines scolaires, on ne sert plus que des œufs en poudre, les coquilles de vrais œufs comportant un minuscule risque de salmonelle !

Applaudissements des sourds

Avec le trio de jazz, on a donné *Le Mâle entendu* l'autre jour à la médiathèque de la maison d'arrêt des hommes de Fleury-Mérogis, devant un public restreint (quinze personnes) mais médusé. Il avait fallu fournir à l'avance, non seulement une copie de notre passeport mais une liste exhaustive du matériel qu'on allait apporter : câbles, micros, amplis, pupitres, caisses... On a trimballé tout ça à travers de nombreux sas, cours, courettes et corridors... Drôle de sensation pour moi, ensuite, d'être « l'interface » féminine entre les deux groupes de messieurs : faisant passer aux détenus les réflexions des musiciens sur la virilité. Une heure de représentation, suivie d'une heure de discussion (passionnée), m'ont laissée rétamée de fatigue.

Mais ce spectacle m'aura beaucoup appris sur les hommes. À quel point leurs forces sont liées à leurs faiblesses, et à quel point tout cela est cohérent : le besoin d'exister, de briller, de s'étalonner, les cerfs qui se rentrent dedans avec leurs bois, la rage d'être mis sur la touche… Tout cela est dérisoire, si l'on veut, mais ce dérisoire mène le monde, et n'est pas étranger à ce qui se passe en Libye ces jours-ci.

Peine de fleurs

La prison de Nantes explose ; elle renferme 417 hommes pour 298 places, des cellules de 20 m^2 contiennent parfois jusqu'à six hommes...

En Turquie, au lieu de surcharger les prisons, on propose parfois aux jeunes délinquants une « peine de lecture » : ils doivent venir en bibliothèque chaque jour et lire pendant une heure et demie, sous surveillance, des livres désignés. Beaucoup trouvent cette punition humiliante et, craignant les quolibets de leurs amis, préfèrent effectuer un séjour normal derrière les barreaux.

Toujours en Turquie, un homme qui, ayant pris une deuxième épouse, s'était mis à battre la première, a été traîné en justice par celle-ci.

— Quand avez-vous offert des fleurs à votre femme pour la dernière fois ? lui a demandé le juge.

— Je ne lui ai jamais offert des fleurs, a rétorqué fièrement l'accusé, je ne sais même pas la date de son anniversaire, ni de notre anniversaire de mariage.

— Voici votre punition : outre des lectures

obligatoires sur la famille et l'éducation des enfants, vous allez offrir des fleurs à votre femme une fois par semaine.

— Une peine de fleurs ! Mais c'est la honte ! Jamais je ne pourrais relever la tête ; non, non, je préfère divorcer !

Ouf. On a beau dire : grâce au mouvement de libération des femmes et des gays, les exigences de la virilité se sont quand même légèrement assouplies en Occident, ces dernières décennies.

La récidive

Il n'y a pas que les banlieues « chaudes » qui fabriquent des délinquants. Les quartiers bobos comme les nôtres en sont parfaitement capables. J'ai écouté l'autre jour un professeur de lettres me raconter l'histoire de son « mauvais » fils.

« Il a commencé à chiper des bonbons dans des boulangeries à l'âge de deux ans, puis a glissé vers la délinquance. Enfin, à dix-neuf ans, il s'est retrouvé en taule. Bien fait pour lui ! me suis-je dit. Mais, même là, il a continué de déconner, et pour finir on l'a foutu au mitard. Je suis allé le voir, je lui ai dit : "OK, regarde, le môme. Tu as transgressé une règle, ceci est ta punition, si tu transgresses d'autres règles, tu vas te retrouver dans un espace encore plus exigu !" Là, il a enfin pigé. »

On se serait cru dans une représentation moyen-âgeuse du Jugement dernier : à droite, ceux qui iront au paradis (comme le professeur lui-même, naturellement) ; à gauche, ceux qui iront en enfer (comme ce fils, né voleur et salopard.)

Tsunami

C'est au tour du Japon d'être en tête de tous les JT et au centre de toutes les conversations. Notre vocabulaire s'enrichit, notre savoir superficiel aussi : suite au tremblement de terre du vendredi 11 mars, un puis deux puis trois réacteurs de la centrale nucléaire de Fukushima ont explosé ; le système de refroidissement ne fonctionne plus, bientôt se produira de la fusion dans le cœur des réacteurs et de la vapeur d'eau saturée de césium sera lâchée dans les airs, l'irradiation pourrait s'étendre jusqu'à…

Comme lors des attentats contre les tours jumelles de Manhattan, je suis consciente d'éprouver dans un premier temps – outre l'effroi, l'horreur, la stupéfaction – une vraie jubilation face à ce nouveau désastre. Pourquoi ? Parce que : immense événement, d'une violence inouïe ; là ; aujourd'hui ; en ce moment même. Gravissime, passionnant, prenant, happant, incroyable au sens propre. On se précipite devant la télévision, on regarde ça : c'est que c'est vrai, c'est que c'est inimaginable et énorme et vrai ! Ça nous stimule le cerveau, nous shoote à l'adrénaline et, d'un coup, parce que c'est gravissime et que c'est maintenant, relègue à l'arrière plan nos petits-problèmes-personnels-comme-on-dit.

Mais, à mesure que les journées s'écoulent et que se révèle l'ampleur du drame, ma jubilation puérile est remplacée peu à peu par une froide épouvante.

Célibat des prêtres

Il y a tout un mouvement, maintenant, pour exiger que soit mis fin au célibat chez les prêtres de l'Église catholique, et même pour suggérer que des femmes puissent devenir prêtres.

Il n'aura fallu qu'une petite quinzaine de siècles pour se rendre compte que le corps humain et notamment masculin est programmé pour copuler, et que, si on l'empêche de le faire dans les normes, il aura tendance à le faire hors normes.

Il n'aura fallu que quelques millions d'enfants violés, de vies gâchées, de corps et d'âmes irrémédiablement bousillés, pour convaincre le pape que le mariage, en fin de compte, serait un moindre mal.

Mais non, pardon, je prends mes rêves pour des réalités : il n'en est *toujours pas convaincu,* le pape.

MAI

2011

Indignez-vous !

On adore s'indigner sur les méfaits de jadis. *L'esclavage !*
Horreur ! Trois siècles durant ! Comment ont-ils pu ! Rien
que pour pouvoir sucrer leur thé et poivrer leur steack ! Mais
des méfaits d'aujourd'hui on s'accommode.

Moi-même, par exemple, j'évite de faire le
lien entre « L'essence » (page 149, quand je fais le
plein dans une station-service le dimanche) et « Elle
ne bougera plus » (page 205, quand je dénonce
l'exploitation des sables bitumineux de l'Alberta).
Pourtant, si je tiens à remplir mon réservoir d'essence
quand ça me chante, j'accepte implicitement le
cancer des Indiens canadiens, la guerre en Irak et
celle en Tchétchénie.

Et si je t'appelle tout à l'heure sur mon mobile,
objet qui contient du kaltan, métal précieux trouvé
exclusivement dans certains pays africains, eh
bien, je participe à la guerre civile qui a fait trois
millions de morts en République démocratique du
Congo depuis l'an 2000 (sans parler des centaines de
milliers de femmes violées).

Le contenu de notre assiette comme les habits sur notre corps reflètent l'exploitation violente du Sud par le Nord. Tout est lié, personne n'est innocent et, à la différence du quidam du XVIIᵉ siècle qui ne s'entendait pas expliquer chaque soir au JT les tenants et aboutissants du commerce triangulaire, nous sommes au courant de notre rôle dans la spoliation des pays pauvres. Du moment qu'on mange à notre faim, rien ne peut vraiment nous empêcher de dormir.

Fastest draw in the West

Je viens d'arriver en Israël / Palestine.

Le *Jerusalem Post* se réjouit de l'assassinat de Ben Laden, cela va de soi. Mais il prend, pour ce faire, un ton de caracolage qui me choque : Enfin ! dit le journal. Enfin Barack Obama a cessé de se comporter comme une poule mouillée ; enfin il a compris le rôle éminent de justicier que doivent jouer les États-Unis dans le monde.

Far West pas mort.

Pendant ce temps, « Black Laundry » (Linge noir), un groupe d'activistes israéliens qui inclut de nombreux homosexuels, poursuit sa critique du gouvernement, de son comportement et de ses valeurs machistes. Et le tombeau d'Arafat à Ramallah, un cube de béton qui se reflète dans un plan d'eau et donne l'illusion de flotter, nous indique que son occupant n'est là que de façon provisoire et a bien l'intention d'achever sa paix éternelle à Jérusalem.

Il en faudrait, des cow-boys, pour ramener la loi et l'ordre dans cette partie du monde.

Heads will roll

Je visite avec des amis la mosquée d'Hébron, parta-
gée depuis plusieurs années entre juifs et musulmans
qui tiennent tous à honorer le tombeau du prophète
(Abraham ou Ibrahim, c'est selon). À l'approche de
l'enceinte sacrée : un check-point ; on montre nos
passeports. L'entrée de la mosquée elle-même est
gardée par des soldats israéliens armés jusqu'aux
dents. On fait passer nos sacs dans un radar... Et,
lorsqu'on a dépassé tous ces signes de haine et de
violence et que l'on se retrouve au coeur du coeur
du sacré, voici ce qu'il se passe : un coup d'oeil en
direction de votre corps et, s'il est féminin, l'ordre
instantanément lancé de le cacher.

J'avais bien pris soin de me couvrir de la tête aux
pieds, mais, trouvant mon pantalon « trop transpa-
rent » et mes jambes trop visibles, trois responsables
barbus me prient de revêtir un des tchadors mis à
disposition, une large cape bleu clair à capuchon.

La salle de prière des femmes est beaucoup plus
petite que celle des hommes, ses décorations moins

élaborées. Ben oui : pour nous concentrer sur nos prières nous n'avons pas besoin, nous autres femmes, d'une si grande salle de prières, ni de décorations si élaborées. Nous ne sommes pas distraites par le machin-truc des messieurs – il ne nous dérange pas le moins du monde ! C'est *naturellement* que nous sommes calmes and pieuses, déjà tout près de la béatitude !

Paradis

Et au paradis, les hommes nous regarderont-ils toujours avec concupiscence?

Isoler le groupe

À Jérusalem, un Grec catholique se détourne violemment quand on le salue : il en veut aux latins, nous explique notre guide, à cause des croisades.

Assise sur une marche d'escalier face au mur des Lamentations, une chrétienne lit à voix haute, avec ferveur, ses passages préférés de l'Évangile.

Dans cette ville où se côtoient des centaines de micro-religions hérissées les unes contre les autres, il n'est pas toujours facile de saisir les nuances entre les différentes sectes et sous-sectes.

Aucune partie de notre corps ne se prête comme les poils à la manipulation symbolique (voir *Trichologiques*, le récent livre de Christian Bromberger). C'est tout un langage : la proclamation visible, ostentatoire de notre croyance, c'est-à-dire de notre besoin de nous identifier par inclusion et par exclusion.

Ainsi les barbes seront-elles coupées au carré pour signifier notre adhésion à la version la plus intégriste de notre religion, les moustaches coupées en brosse pour indiquer qu'on embrasse telle autre facette de la doctrine ; ainsi les femmes « traîtresses » seront-elles tondues par des foules pleines de haine et les putes raffinées se raseront-elles le pubis. Ici, les cheveux longs proclament une sexualité débridée et la tonsure, l'abstinence ; là, c'est tout juste l'inverse.

On est vraiment poilants !

Jetés dans le même océan

Hana, une amie israélienne, nous dit que les militaires aux check-points ou dans les tourelles à Hébron peuvent tout à fait être de gauche, opposés à l'occupation, etc. mais qu'*ils sont pour l'existence de leur pays*. Je lui rappelle qu'en 2005, à mon retour de Gaza où j'avais pris en grippe l'uniforme israélien, la vue de celui de son fils de dix-neuf ans, accroché dans sa cuisine après lavage, m'avait émue. Le politique devenait soudain personnel, et l'objet de détestation, un objet de soins maternels. « Au bout de très peu de temps, se souvient-elle aujourd'hui, mes fils m'ont demandé de ne plus mettre leur uniforme à sécher dans la maison ; ils ne supportaient pas de le *voir*. »

Le Moyen-Orient est pétri de contradictions. De chaque côté les extrémistes rêvent de voir les autres jetés à la mer ; entre les deux souffrent deux peuples aimant la même terre. Mais ils souffrent de manière très asymétrique. Impossible de renvoyer dos à dos occupants et occupés.

Shiva

Autre proverbe anglais : « *The bigger they are, the harder they fall* » (« Plus grand est le bonhomme, plus dure est la chute »). Ces temps-ci, nous assistons à une série ahurissante de chutes dures. Qui eût cru, voici quelques petits mois, que Ben Laden et Dominique Strauss-Kahn mordraient la poussière à quelques jours de distance ?

Le rapprochement entre ces deux derniers géants déchus n'est pas que temporel : il semblerait qu'on ait découvert dans le bunker du chef d'Al-Qaïda, qui ne manquait pourtant jamais une occasion de tonner contre l'immoralité de l'Occident, quantité de vidéos pornographiques.

Certes de grandes zones d'ombres entourent encore ces deux chutes : personne ne sait exactement ce qui s'est passé. Pour Ben Laden, on semble prendre pour argent comptant l'étrange version officielle proposée par le président américain, alors que dans le cas de DSK chacun y va de son analyse. Évoquant la scène désastreuse du Sofitel, les psychologues décèlent

chez le directeur du FMI un excès de « puissance » (!),
les féministes déplorent la survivance du « droit de
cuissage », les politiciens dénoncent un complot
et les sociologues décortiquent la séduction « à la
française ».

Moi, DSK me fait penser à Romain Gary
(cf. « L'homme et la mère », page 32) : autre « tom-
beur » invétéré, accro du sexe... *affligé*, disait
Lesley Blanch sa première épouse, *d'un tic nerveux
sous la ceinture*. Je me demande surtout ce qui, dans
l'enfance de DSK, l'a jeté dans cet affolant besoin de
clamer, encore et encore – tantôt dans l'agression,
tantôt dans la tendresse, mais indéfiniment, éperdu-
ment – sa carence d'amour.

L'empathie

D'après les psychologues, la capacité de se mettre à la place de l'autre est acquise à un moment assez précis de la petite enfance, autour de quatre ans.

L'autre soir, pendant que nos amis traînaient encore à table, j'ai vu que leur petit-fils (âgé de quatre ans, justement) s'ennuyait ferme. J'aime bien ce garçon fluet, blond et angélique, alors je suis allée lui chercher quelques vieux jouets de nos enfants et ai inventé avec lui, discrètement, sur un coin de table, mille mises en scène minuscules.

Par exemple : je fais la voix d'un tout petit personnage, d'à peine un centimètre de haut ; le gamin trouve un tout petit placard et met le personnage dedans ; d'une voix aigüe faussement terrifiée je m'écrie : « Oh non, non, non, ne m'enfermez pas ! À l'aide ! à l'aide ! j'ai peur du noir ! »

Apparaît alors sur le visage du garçon un sourire sadique jubilatoire ; il ferme la porte et la verrouille.

Oh oui, l'empathie est absolument naturelle à notre espèce, ça vient avec le langage.

Contre votre nature

Belle conversation, hier pendant le repas du soir, sur la stupidité des chats relativement aux chiens — parce que, contrairement aux chiens, aux chevaux et même aux tigres (cf. le cirque), on ne peut pas les entraîner. « Personne n'a jamais vu de chat policier, n'est-ce pas ? » dis-je, ayant lu cette phrase quelque part.

Mais au fond... pouvoir être entraîné, est-ce un signe d'intelligence ou de bêtise ?

Quelqu'un cite *Full Metal Jacket* : l'entraînement délirant des militaires U.S.

Un autre rappelle la fameuse boutade d'Einstein selon laquelle les gens qui marchent au rythme d'une musique militaire ne méritent pas d'avoir un cerveau ; « une moëlle épinière leur suffit. »

Qui entraîne-t-on, au fond, l'élite (les chiens les plus intelligents) ou la lie (les hommes les plus bêtes) ?

S'agit-il de pouvoir apprendre à faire des choses qui vont *contre votre nature* ?

Hommage à elle

Aux États-Unis on vend désormais des produits de beauté pour fillettes de huit à dix ans, car il faut bien « préparer » leur peau aux problèmes susceptibles de survenir à la puberté, tel l'acné...

En Grande-Bretagne on vend, à raison de quinze euros le cornet, de la crème glacée fabriquée à partir du lait maternel. Les femmes dont on prélève le lait sont évidemment garanties pur bio.

Notre rêve secret est peut-être de rester fœtus à jamais. On se calfeutrerait dans le ventre de maman et en s'injectant des doses massives de produits rajeunissants, pour ne pas avoir à se taper ce long gâchis qu'est la vie...

Le tunnel

Quand j'étais jeune, je me fichais pas mal de l'avenir du monde. Après moi le déluge !

Après être devenue mère, j'ai commencé à vouloir que les choses se calment sur notre planète pendant quelques petites décennies (du vivant de mes enfants, quoi, pour qu'ils n'aient pas à trop souffrir) : qu'on cesse de dépenser des milliards pour les armements, de bousiller la forêt amazonienne, de faire fondre les glaces polaires, de ravager l'Afrique, de réchauffer le climat et de verser du pétrole dans l'océan...

Maintenant que je suis belle-grand-mère, obligée de reconnaître que ma première série de vœux n'a pas été exaucée, j'avoue ne pas bien savoir comment formuler mon espoir pour l'avenir.

Contre le vent

Lorsqu'après sa condamnation à mort on a demandé
à Socrate s'il avait un dernier vœu, il aurait répondu :
  — Oui, j'aimerais apprendre à jouer de la flûte.
  — Mais enfin, à quoi ça peut vous servir, puisque
vous allez mourir ?
  — Justement, avant de mourir, j'aurais bien aimé
savoir jouer quelques notes de flûte.
  Vivre ainsi. Pas « pour » quelque chose. Ainsi.

CHOSES VUES, CHOSES LUES

Avant-propos Nancy Huston, *Dolce Agonia*, Actes Sud, 2001.

Juin Nicholas Kristof et Sheryl WuDunn, *La Moitié du ciel*, Éd. des Arènes, 2010.
Penny Allen, *L'histoire d'un soldat*, Autoproduction VOSTF, MOA Distribution, France, 2008.
Clint Eastwood, *Mystic River*, É.-U., 2003.
Maureen Gibbon, *Thief,* Farrar, Straus & Giroux, N.Y., 2010.
Nancy Huston, *Infrarouge*, Actes Sud, 2010.

Juillet Marcela Iacub, *De la pornographie en Amérique : la Liberté d'expression à l'âge de la démocratie délibérative*, Fayard, 2010.
David Espar et Susan K. Lewis, *Evolution : Charles Darwin's Dangerous Idea*, 2002.

Août Chet Raymo, *The Soul of the Night,* Prentice Hall Trade, N.Y., 1989.
Paulo Caldas, *Désert heureux,* Brésil, 2007.
Nicolas Philibert, *Nénette*, Kino, France, 2010.

Septembre Spectacle *Le Mâle entendu*, textes et musique de Jean-Philippe Viret, Édouard Ferlet et Fabrice Moreau, idée originale et mise en forme de Nancy Huston, livre-CD à paraître en 2012, Actes Sud / L'Iconoclaste.
Alain Supiot, *Homo juridicus,* Seuil, 2005.
François Bizot, *Le Portail*, Folio 2000.
Colum McCann, *Et que le vaste monde poursuive sa course folle*, Belfond, 2009.
Jean-Michel Carré, *Prostituées et cœurs de mère*, Films du grain de sable, 1997.

Octobre Léa Todorov, *Sauver l'humanité aux heures de bureau,* Zadig Productions, France, 2011.
Marie Mandy, *Mes deux seins*, The Factory & Fontana, France, 2010.
David Fincher, *The Social Network*, É.-U., 2010.

Novembre Susan Vreeland, *La Passion d'Artemesia Gentileschi*,
Éd. de l'Archipel, 2003.
André Malraux, *Saturne: essai sur Goya*, Gallimard, 1950,
p. 110.
Nancy Huston, *L'Empreinte de l'ange*, Actes Sud, 1998.
George Sand, Gustave Flaubert, *Correspondance*,
Flammarion, 1981.

Décembre Colloque « Dieu et les femmes » organisé au Sénat
par Mohamed Kacimi, 29-30 novembre 2010.
Frank Wedekind, *Lulu, une tragédie monstre*,
Théâtre de la Colline, automne 2010.

Janvier J.M. Coetzee, *The Lives of Animals,* Princeton University
Press, Princeton, N.J., 2001.
Jonathan Safran Foer, *Faut-il manger les animaux ?*
Éd. de l'Olivier, 2011.
Philip Gourevitch, *Nous avons le plaisir de vous informer
que, demain, nous serons tués avec nos familles : Chroniques
rwandaises*, Folio documents, 2001.
Romain Gary, *Tulipe*, Gallimard, 1970, p. 58.

Février Vilayanur S. Ramachandran, *Le Fantôme intérieur,* Odile
Jacob, 1999.

Mars Élisabeth Badinter, *L'Amour en plus*, Flammarion, 1998 ;
Fausse route, Odile Jacob, 2003 ; *Le Conflit :
la femme et la mère*, Flammarion, 2010.
Jonathan Swift, *Modeste proposition pour empêcher
les enfants des pauvres d'être à la charge de leurs parents ou de
leur pays et pour les rendre utiles au public*, 1729.

Avril Romain Gary, *Charge d'âme*, Folio, 1997.
Sarah Hrdy, *Mothers and Others : The Evolutionary Origins
of Mutual Understanding*, The Belknap Press, 2009.

Mai Lesley Blanch, citée in Nancy Huston, *Tombeau de
Romain Gary,* Actes Sud, 1995.
Christian Bromberger, *Trichologiques*, Bayard, 2010.
Stanley Kubrick, *Full Metal Jacket,* É.-U., 1987.

TABLE

AVANT-PROPOS 9

JUIN
Elles nous attendront, les cent millions 21
Les témoins de tous les jours 23
La retraite à vingt ans 25
Ils sont à qui, les pantins ? 27
Gloire et gore 31
L'homme et la mère 32
Le passé caché 37
La mort d'un général 41
Les ailes ne volent plus 43
« May I come in, please ? » 45
Il a eu combien de poules ? 47
Chacun son barbare 49

JUILLET
Our holy fathers 53
Interdits, les petits caïds 55
Stealing them blind 57
« Com » 59
Assis sur ses convictions 61
Dieu zappe le prêtre 63
Crème de la crème 67
Whose image is it ? 71
Visiteur de la nuit 73
C'est la tendre guerre 75
Bébé doit bouffer 77
Ont-ils une âme ? 79

AOÛT
Les fourmis devant l'inconnu 82
Bon voyage, mon cher 87
Quel éléphant dans la pièce ? 89
Remède 91
Il me visa, je suis visée… 93
Sous la burqa le bikini 95
Passage du temps 96
Zoo 101
Tragédie algérienne 103
Les bons, c'est nous ! 107
L'hygiène 111

SEPTEMBRE

Parano 115
Ange tombant 117
Elles le font toutes ! 119
Le dernier verre 121
Trop compliqué pour « Paris Match » 125
Le ton monte 127
Daddies et sugar-daddies 129
Dors mon bébé, dors... 131
MacShoah 133
Euh… pas fait exprès de le tuer 135
Il a une flèche et elle, flesh 139
Le sort des ancêtres 141
Attention, hommes dangereux 145

OCTOBRE

L'essence 149
Les autres 151
L'aide 153
Grande salle des glaces 155
D'après nature 157
Facebook 159
Affrontements 163
Noirs, noirs désirs 165
Zola au miroir 169
Un paradoxe 171
Les bébés ! Dans la rue ! 173
Guide de l'agitation sociale à l'usage des intellectuels 175

NOVEMBRE

Maisons de verre 179
Poisson d'avril 181
Le livre et l'épée 183
Un temps et un lieu pour chaque chose 185
Magnétisme 187
Origine des espèces 189
Une pulsion 191
Naissance d'une idée 193
L'héritage 195
Rustique 197
« Venez voir le magnifique Père Nature…! » 201
Les pommes ne tombent pas loin du pommier 203
Elle ne bougera plus 205

DÉCEMBRE

Priorités 209
Priorités bis 211
Business as usual 213
Progrès 215
Resserrer les liens 217
Tu vas voler, ma chérie 219
En quel honneur? 221
L'ambivalence 223
Ici, nous sommes libres 225
Elle donne naissance au monde, il joue avec des trains 227
Exalter la déesse tout en piétinant la femme 229
Comment peut-on s'échapper? 231
Jouissance et enfin la paix 233

JANVIER

Politique de la couche-culotte 237
Si les Chinois s'y mettent 241
Interdit de plaisanter 243
Gourous et grigris 245
Elles portent, il creuse 247
Fontaine d'idées 249
La Terre vue du ciel 251
Le sacrifice 253
Le chat et la souris 257
La grosse dame a chanté 259
La paix ligotée 261
Le cœur brisé 265
Hands on for freedom 267

FÉVRIER

Je m'en tape 271
Si gros… 273
L'avant-garde 275
Brain-box, intox: la reproduction des élites 277
La grande École 279
Solution miracle 281
Faire rire les animaux 283
Déprime du samedi soir 287
Taken by surprise 289
Bienvenue sur mon yacht 291
Culte de la personnalité 293
Grève des magistrats 295
L'arroseur arrosé 297

MARS

Cherche quelqu'un de cher dans ce tas de porcs 303
La dernière île 305
L'âne ne suit pas les moutons 307
L'art ? Ce sont les applaudissements 309
Beauté banale 311
Le ruisseau 313
Il va kiffer tes tifs 315
La balance 317
Ils se tiennent toujours par la main 321
Elle paraît presque humaine 323
Le guide de la Révolution 325
Suburban Bliss 327

AVRIL

Une mine d'inspiration 331
Rising 335
Authenticité 337
Visage d'extinction 339
En aval 341
La victime de tout 345
Fruits étranges 347
À transformer en poudre 349
Applaudissement des sourds 351
Peine de fleurs 353
La récidive 357
Tsunami 358
Célibat des prêtres 363

MAI

Indignez-vous ! 367
Fastest draw in the West 371
Heads will roll 373
Paradis 377
Isoler le groupe 379
Jetés dans le même océan 383
Shiva 385
L'empathie 389
Contre votre nature 391
Hommage à elle 393
Le tunnel 395
Contre le vent 397

CHOSES VUES, CHOSES LUES 398

AUTRES LIVRES DE NANCY HUSTON

Romans   *Les Variations Goldberg, Romance*, Seuil, 1981 ; Babel n° 101.
Récits   *Histoire d'Omaya*, Seuil, 1985 ; Babel n° 338.
Nouvelles   *Trois fois septembre*, Seuil, 1989 ; Babel n° 388.
Cantique des plaines, Actes Sud / Leméac, 1993 ; Babel n° 142.
La Virevolte, Actes Sud / Leméac, 1994 ; Babel n° 212.
Instruments des ténèbres, Actes Sud / Leméac, 1996 ; Babel n° 304.
L'Empreinte de l'ange, Actes Sud / Leméac, 1998 ; Babel n° 431.
Prodige, Actes Sud / Leméac, 1999 ; Babel n° 515.
Limbes / Limbo, Actes Sud / Leméac, 2000.
Vera veut la vérité, École des loisirs, 1992 (avec Léa).
Dora demande des détails, École de loisirs, 1993 (avec Léa).
Les Souliers d'or, Gallimard, « Page blanche », 1998.
Ultraviolet, Thierry Magnier, 2011.

Essais   *Jouer au papa et à l'amant*, Ramsay, 1979.
Dire et interdire : éléments de jurologie, Payot, 1980 ;
Petite bibliothèque Payot, 2002.
Mosaïque de la pornographie, Denoël, 1982 ; Payot, 2004.
À l'amour comme à la guerre, correspondance, Seuil (avec S. Kinser).
Lettres parisiennes : autopsie de l'exil, Bernard Barrault, 1986 ;
J'ai lu, 1999 (avec Leïla Sebbar).
Journal de la création, Seuil, 1990 ; Babel n° 470.
Tombeau de Romain Gary, Actes Sud / Leméac, 1995 ; Babel n° 363.
Désirs et réalités, Leméac / Actes Sud, 1996 ; Babel n° 498.
Nord perdu suivi de *Douze France*, Actes Sud / Leméac, 1999 ; Babel n° 637.
Âmes et corps, Leméac / Actes Sud, 2004 ; Babel n° 975.
Professeurs de désespoir, Leméac / Actes Sud, 2004 ; Babel n° 715.
Passions d'Annie Leclerc, Actes Sud / Leméac, 2007.
L'Espèce fabulatrice, Actes Sud / Leméac, 2008 ; Babel n° 1009.

Théâtre   *Angela et Marina*, Actes Sud-Papiers / Leméac, 2002.
(en collaboration avec Valérie Grail).
Une adoration, Leméac, 2006.
(adaptation théâtrale de Lorraine Pintal).
Mascarade, Actes Sud junior, 2008 (avec Sacha).
Jocaste reine, Actes Sud / Leméac, 2009.
Klatch, Actes Sud-Papiers, Actes Sud, 2011.

EXPOSITIONS DE RALPH PETTY

2011   *Haus Kasuya Museum (Kamakura, Japon)* :
avec l'artiste japonais Matsutani, peinture et dessin.
Galerie Mutsu (Tokyo) : exposition personnelle.
Novosibirsk State Museum (Novosibirsk, puis Omsk et Chelyabinsk, Russie) : exposition personnelle, peinture et dessin.

2010   *Musée du Parc Tobinodai (Iseki, Japon)* : exposition collective, "Esprit de Jomon II" Funabashi.
Galerie Eumeria (Tokyo) : exposition collective "Internationalism, localism in the arts".
Galerie T & S (Tokyo) : exposition personnelle, peinture et dessin.

2008   *The Fine Arts Gallery of the American University of Paris* : peinture, lithographie et sculpture.

2000   *Galerie Belenky (New York)* :
exposition collective, peinture.

1999   *Cline Contemporary Art Gallery (Sante Fe, New Mexico)* :
exposition "New Artists".

1997   *Mona Bismark Foundation (Paris)* :
"Artistes américains en France 1958-1998".

1992   *Eglise Saint-Pierre-Saint-Paul (Montreuil)* :
installation, peinture.

1988   *Prague National Gallery Museum* :
exposition "Art contemporain en France", peinture.

1982   *Château de Nieul* : peinture, sculpture, vitrail, gravure.
Esplanade du Centre Pompidou (Paris) :
création d'un dragon de 13 mètres de long.

Édition : Sophie de Sivry
Suivi d'édition : Élise Gruau
Direction artistique : Quintin Leeds
Maquette : Laura Rodríguez Armas
Relecture : Matthieu Recarte
Photogravure : Les Artisans du Regard (Paris)

Cet ouvrage a été achevé d'imprimer en juillet 2011
sur les presses de l'imprimerie Qualibris (France).

N° d'impression : 10287
Dépôt légal : septembre 2011
ISBN : 9782913366350
ISBN Leméac : 9782760907522